İHSAN OKTAY ANAR • Galîz Kahraman

İHSAN OKTAY ANAR 1960 doğumlu. Felsefe bölümünü bitirdi. Öğretim üyeliği yaptı. 2011 yılında emekli oldu. Yayımlanan diğer kitapları: *Puslu Kıtalar Atlası* (1995), *Kitab-ül Hiyel* (1996), *Efrasiyâb'ın Hikâyeleri* (1998), *Amat* (2005), *Suskunlar* (2007), *Yedinci Gün* (2012).

İletişim Yayınları 1952 • Çağdaş Türkçe Edebiyat 290
ISBN-13: 978-975-05-1418-0
© 2014 İletişim Yayıncılık A. Ş.
1. BASKI 2014, İstanbul

EDİTÖR Nihat Tuna
KAPAK Suat Aysu
KAPAK RESMİ İhsan Oktay Anar
UYGULAMA Hüsnü Abbas
DÜZELTİ Kerem Kıvanç
BASKI ve CİLT Sena Ofset · SERTİFİKA NO. 12064
Litros Yolu 2. Matbaacılar Sitesi B Blok 6. Kat No. 4NB 7-9-11
Topkapı 34010 İstanbul Tel: 212.613 03 21

İletişim Yayınları · SERTİFİKA NO. 10721
Binbirdirek Meydanı Sokak, İletişim Han 3, Fatih 34122 İstanbul
Tel: 212.516 22 60-61-62 • Faks: 212.516 12 58
e-mail: iletisim@iletisim.com.tr • web: www.iletisim.com.tr

İHSAN OKTAY ANAR

# Galîz
# Kahraman

iletişim

*Daha yazılırken bu kitabı okuduğuna inandığım,*
*Edâ Tuna'ya...*

".rOBot oLmadiğnı KanıdLA"'

N. V. Google

"Hüüüüüüüüüüüüüüüüp! Jjjjjjjjjjjjjjt! Nah-ha!"

Bu zarif nidâ, Versay'da yaşayan Güneş Kral'ın, daha doğrusu ayın ve hânedânın on dördüncüsü olan o lunatik Kral Lui'nin taht salonunda çınlamamıştı! Cıgara dumanının tahriş ettiği nazenin ses tellerinin âhenkle titreşip uçuklu dudakların büzülmesinin ardından, tütünden paslanmış sarı bir dilin iltihabî damağa değmesi neticesinde peydâ olmuştu bu nidâ! Ve gönülleri mest eden bir şarkı gibi, ağızdan pastırma ve soğan kokusu refâkatinde çıkmıştı. Paris'te olsa bütün Françe, Pekin'de olsa bütün Çin, Londra'da olsa bütün İngiltere duyar, hele hele York Şehri'nin eskisi olmasa bile yenisinde, muhabir flaşları ardı ardına pat pat patlardı. Ama ya bütün dünyanın kulak asması, ya anca üç beş kişinin omuz silkip geçmesi için bu nidânın en müsait yeri Kasımpaşa'ydı. Çünkü şimdi gayet mümtâz simaların yaşadığı bu mahalle, o devirde ya hep ya hiç'in olduğu bir âlemdi.

"Hüüüüüüüüüüüüüüüüp!"

İşte bu, eski zamanlarda bazıları nazarında, Kasımpaşalılığın ta kendisiydi! Mezkûr nidâyı hançeresinden, cümle âlemin yaşadığı şu Dünya denilen gebergâha koyuveren zât, hâşâ, La Skala'da aynı sedayı tam on altı mezür boyunca biteviye haykıran züppe tenorlardan biri değildi! Tam tersi, o devrin Kasımpaşa aristokrasisinden kendi hâlinde bir jantiyom, dedesince bir kese kâğıdına yazılan şeceresi tâ o kadîm krallara ait virân sarayların ve altında küp küp altının yattığı mermer mezarların civarındaki dağ köylerine uzanan bir zâdegân, namusundan mesul olduğu mahallesinin yampiri ve yılankâvi sokaklarında kol gezerken racon kesip afi sallayan, safkan ve asîl bir çeyrek çıyandı.

"Hüüüüüüüüüüüüüüüüp! Jjjjjjjjjjjjjjjjt! Nah-ha!"

Rakı, şarap veya benzeri müskirât tesiri altında olmaksızın, İngiltere Kraliçesi'nin huzuruna kabul edildiği sırada ancak Suvaç Kralı'nın ağzına yakışacak bu zarif ve âsilâne nidâyı koyuveren İdris Âmil Efendi Hazretleri'nin vâlidesinin, tâ fî tarihinde Efendimiz'i doğurmasına ramak kala, Kasımpaşa'nın Kulaksız Külhânî Çıkmazı'ndaki salaş evlerinin kafesleri ardından sokağa hüzme hüzme nur ve fer sızdığı, üstüne üstlük, hem Ay'ın ve hem de Güneş'in Koç Burcu'nun yigirmi yedinci derecesinde olduğu, ayrıca semada bir kuyruklu yıldızın akıp gittiği rivâyet edilegelmiştir. Mahallenin ebesi, Efendimiz İdris Âmil Hazretleri'ni doğurtup kıçına şaplak attıktan sonra zavallıcık, yaygarayı ve velveleyi basmış, kucağa alınıp pışpışlanırken de Hazret'in sünnetli olduğu fark edilmişti. Efendimiz'in bilâ kusur pipisini gören hacı dedesi, hem pederine hem de mâderine bebeciğin istikbâlde Allah dostu olacağını, Cenâb-ı Hakk'ın yolunda muazzam merhale kat edip yüksek bir mertebeye geleceğini müjdelemişti. İlle ve lâkin, Efendimiz'in'in pederi, hem sultanın hem de halifenin memleket haricine sürgün edildiğini, yani Allah yolunun artık engelli engebeli olduğunu hacı dedeye boş yere hatırlattı. Pedere göre postnişin olmak, postu kaptırmak demekti. Ama ihtiyarın bir kulağından giren malûmat, onun yaş icâbı pelteleşmiş beynini ancak birkaç dakika kolaçan ettikten sonra hemen, diğer kulağından dışarı sızmaya başlardı. Fakat bu kesinlikle, onun zihnî melekelerini kaybettiği mânâsına gelmezdi. Çünkü adam tâ tokuz yaşında ezberlemiş bulunduğu Kur'ân-ı Kerim'i, o mübârek hâfızasında hâlâ koruyan ve ara sıra Piyale Paşa Camii'nde birkaç lira dünyalık, yahut yarım tepsi baklava mukabilinde Mevlid-i Şerîf okuyan bir hâfız ve mevlithândı. Karacaoğlan'ın bütün şiirlerini ezberinden kahvede, kıraathânede ona buna durmadan okur, böylece şundan bundan avanta içtiği çayı kahveyi hak ettiğine cân-ı gönülden inanırdı.

Mâderinin sütü bol bereketli olduğu için tâ dört yaşına kadar emzirilen İdris Âmil Hazretleri tosun tombalak bir velet olup çıkmıştı. Neylersin ki boyu uzayacak gibi değildi, yine de Efendimiz buna fazla ehemmiyet vermeyecekti. Öyle ki ileride, bir mecmûada Leonardo nâm bir sanatkârın daire içine çizdiği, kollarını bacaklarını açmış o sözüm ona mükemmel insan bedenini, sırf kendisininkine benzemiyor diye kusurlu bulacak ve üstâdı, elips yerine daireyi seçmek gibi bir sanat cürmüyle ithâm edecekti. Çünkü, kâh mâderinin kâh pederinin kâh dedesinin, kâh ayın kâh güneşin, kâh seyyârelerin kâh burçların, çevresinde döndüğü İdris Âmil Efendi Hazretleri, tâ o yaşta kutub mertebesine vâsıl olmuş sayılırdı. Nasıl ki denizciler Kutup Yıldızı'na bakıp istikametlerini tâyin ediyorlarsa, Âdemoğulları'nın da Efendimiz'e bir bakıp onu misâl ve kıstas alarak kendilerine bir çeki düzen vermeleri, hem yollarını hem de yordamlarını bulmaları icap ederdi. Zaten Güneş'in doğudan doğduğu da palavraydı! Dünya'yı aydınlatan güneş, asıl Efendimiz'in o mübârek vâlidesinden doğmuştu! Bu, ikinci bir Kopernik inkılâbıydı. Çünkü insanoğlu artık, merkezinde bu kez hakikî bir güneşin, yani asıl Efendimiz'in olduğu bir kâinatta idiler. Fakat bu güneş gök kubbede ve burçlarda değil, Kasımpaşa'da ve surlarda kol geziyor, nedense müneccimlerin gözünden hep kaçıyordu. Tıpkı İsa Mesih gibi gökten yere inmiş, günahkârlara ve azap çekenlere kurtuluşu şöyle müjdeliyordu:

"Hüüüüüüüüüüüüüüüüüüüp! Jjjjjjjjjjjjjjjjt! Nah-ha!"

Tahriş olmuş hançereden fışkıran bu asîl seda gök kubbede tekraı tekrar aksettikten sonra arz küresine âdeta rahmet gibi çöker, işitenlerin kulağını okşar, arada bir de yüreklerine endişe salardı. Hazreti Davut, bas değil tenor olsaydı ve o da İdris Âmil Hazretleri gibi günde üç paket cıgara tüttürseydi böyle bir muntazam ve muazzam bir feryat koyuverirdi. Mâşallah! İyi hoş ama, kıraathânelerde bu mübârek nidâ nazar-ı dikkati pek çekmiyordu. Galiba o devirde Kasımpaşa, kurtuluşa ermek için fazla uygun bir mıntıka değildi. Ama yine de halâs bulmak içi yakınlarda bir Kur'ân kursu vardı. İşte İdris Âmil Hazretleri'ni, erenlerden olsun diye bu kursa yazdırdılar. Ama kaçıp bu kez kırklara karışmasın diye kursa onu pederi getirip götürüyordu. Çünkü Kur'ân kursunun hocası da doğma büyüme Kasımpaşalı'ydı. Böylece Efendimiz, ayınları çatlatıp gayınları patlatamadığı için suratında şamarlar çatlayıp tokatlar patladı. Bu, bardağı taşıran son damla olmuştu. Hocaya ve dedeye bakılırsa İdris Âmil Efendimiz, yoldan çıkmış bir zât-ı nâmuhterem olmuş gibiydi ama bu pek doğru sayılmaz. Çünkü artık kursa devam etmeyeceğini beyan ettiği vakit, hem dedesi hem pederi hem de hem mâderi saçını başını yolmuş, ama Hazret'in ağzından şu nidâ çıkmıştı:

"Nah-ha!"

Efendimiz kaba saba bir şahıs sayılmazdı. Sadece ve belki, bir büyükbaş hayvan gibi, Tabiat'ın hudutları dışına çıkmayı reddediyor ve Medeniyet'in, mektebe devam etmek, din yolunda ilerlemek, Mushaf'ı kıraat etmek gibi bazı nimetlerini reddediyordu. Gerçekten de İdris Âmil Hazretleri bir Tabi-

at mucizesiydi, o Tabiat ki, onun her bir unsuru, dağlar taş-
lar hayvanlar, Cenâb-ı Hakk'a secde eder dururdu. Efendi-
miz madem ki Tabiat'ın bir parçasıydı, bir de kalkıp camide
secde etmesi pek lüzumlu sayılmazdı. Neylersin ki, gün gel-
di, Tabiat onu bir gece ikaz ediverdi!

Cins-i latif artık ona ziyâdesiyle cazip geliyor, fakat Efen-
dimiz pek de haklı olarak kendisini bu kadar beğenirken, ne
kadınlar ne de kızlar, onun suratına, basık burnuna, pört-
lek gözlerine alıcı gözüyle bakıyordu. Kısacası evdeki hesap
bir türlü çarşıya uymamaktaydı! Demek ki yanlış giden bir
şeyler vardı. Apış arasındaki Tabiat kuvvetini elinden geldi-
ğince zapt ettiği için, bu kez kalbi güm güm atar oldu: İdris
Âmil Hazretleri her dâim ona buna âşık, sulu zırtlak biri ol-
du çıktı. Elbette sinesinde bir kalp, kalbinde şiddetli hisler,
yumulu gözlerinin önünde de âşık olduğu kızlar vardı. Gel
gör ki cins-i latif, herhangi bir sahada parlayıp sivrilmedikçe
ona kul kurban olacak gibi değildi. Hâl böyle olunca Efendi-
miz Hazretleri'nin bir sahada terakki etmesi, pişip parladık-
tan sonra da kadını kızı tâ ayağına beklemesi uygun olacak-
tı. Böylece, hem Bâbıâlî hem de Kasımpaşa aristokrasilerin-
de kendisini adamdan saydıracak sahalar ve unvanları ihtivâ
eden şöyle bir cetvel hazırladı:

| Asâlet Mertebeleri | Delikanlılık Mertebeleri | Kabiliyet Mertebeleri |
| --- | --- | --- |
| Arşidük | Külhânbeyi | Başmuharrir |
| Dük | Kabadayı | Muharrir |
| Prens | Dayı | Müellif |
| Marki | Fedaî | Âşık |
| Kont | Raconcu | Kasideci |
| Vikont | Bitirim | Meddah |

| Baron | Bıçkın | Münekkit |
|-------|--------|----------|
| Senyör | Serkeş | Tashihçi |
| Şövalye | Kopuk | Heveskâr |
| Centilmen | Çıyan | Kâtip |
| Avâm | Kıtıpiyoz | Filistin . |

Kıdemlilere hitap şekli

| Majésteleri! | Â-bi-cim! | Üstâd! |
|--------------|-----------|--------|

Kadîm Yunanlar'ın medenî olmayan başka milletlere 'barbar' dedikleri gibi, o devirde de Kasımpaşalılar diğer mahallelerin sakinlerine 'kıtıpiyoz' derlerdi. İdris Âmil Hazretleri, doğma büyüme Kasımpaşalı olduğu için, yeraltı aristokrasisine centilmen unvanıyla zaten dâhil sayılırdı. Ama yazıklar olsun ki bu rütbe, cins-i latif gözünde fazla makbûl sayılmazdı! Çünkü cam başında sokağı seyredip gün boyu koca bekleyen kadın kız dâima, kendilerini kurtaracak bir şövalye peşinde olurdu. İşte bu yüzden Efendimiz, yeraltı camiası içinde terfi edip makam mertebe kapmanın bir yolunu bulmalıydı. Yoksa Kasımpaşa'da ismi ve lâkabı ağza abdestle alınan 'o kişi'ye, yani müstemlekeci ve istilacı gayelerle bu koca şehirdeki bütün hanı hamamı haraca bağlayan ve kıtıpiyozların en sonunda huzurunda diz çöktüğü o 'Emperyal Külhânî'ye, yani Yarma İskender'e mi müracaat etseydi? O devirde şehrin yeraltı camiası iki sancak altında toplanmıştı. Üsküdar'da 'Anadolu Külhânbeyi' yani Remiz ve Kasımpaşa'da ise 'Rumeli Külhânbeyi', başka deyişle Yarma İskender hüküm sürer, bu güzide ve asîl şahısların, kendilerine mahsûs görkemli sarayları sayılabilecek cezaevinden çıktıkları pek nadir görülürdü. İşte bu nedenle, onlarla görüşmek isteyen şahsın, bir hâl çaresi bulup cezaevine girmesi icap ederdi! Bu da zor bir iş sayılmazdı, çünkü cezaevine girmenin değil, çıkmanın zor olduğunu cümle âlem bilirdi!

O devirde Kasımpaşa'nın yeraltı elitleri cami yanındaki Babalar Kıraathânesi'nde toplanırlardı. Silmesi de edep erkân bilir, etiket sahibi, kibar ve görgülü şahıslardı. Öyle ki, kıdemlilere hürmetle 'â-bi-cim' denirken, onlar da astlarına gayet zarif bir şekilde 'ulan' diye hitap ederlerdi. Kısacası bunlar klâs adamlardı ve ayrıca, elden ayaktan düşmüş yaşlı kabadayılardan bir ihtiyar heyeti de burada toplanırdı ki, işte bu grup, bir nevi yeraltı senatosu sayılabilirdi. Her şey bir yana, kıraathânenin bir duvarında kadîm ve mümtâz kabadayılara ait, maddî ve manevî kıymeti fazlaca ustura, gaddâre, piştov, saldırma, yatağan gibi pekmez akıtmaya mahsûs cins cins emanet demir ile, bunların kendi uğurlarında kullanıldığı hanımların fotoğrafları asılıydı. Bu duvarın yanında ise, onları giyip kuşanan sahipleri artık hayatta olmayan, üzerindeki saldırma ve kurşun deliklerinden akan pekmezin kızıla boyadığı cakalı paltoların asılı bulunduğu bir elbise askısı vardı. Bu duvarın hemen dibinde ise, kıraathâne çırağının her gün cilâlayıp fırçalayarak parlattığı, polisten kaçtıkları esnada hızlı koşmak için merhum sahipleri tarafından ayaklardan daha kolay fırlatılmak muradıyla topuklarına basılmış, otuz çift kadar sivri burunlu ayakkabı göze çarpıyordu. Sözün kısası bu duvar mütevâzı bir müze sayılabilirdi. Ama eğri oturup doğru konuşalım, kıraathâne ahalisi nezdinde kıymeti, Luvr'dan ve Ermitaj'dan daha ziyâdeydi.

Ancak yeraltı âleminde kararlar süratle verilir, dörtnala icrâ edilir, meselelerin tekmili yıldırım gibi hâlledilirdi! Bu sebepten, Babalar Kıraathânesi'ne müracaat eden İdris Âmil Efendimiz Hazretleri'nin hemen oracıkta, kabadayılar tarafından ruhunun ve ciğerinin okunup imtihan edilmesi ve çıyanlık bakaloryası alması uzun sürmedi. Gel gör ki, daha fazlası için, Rumeli Külhânbeyi olan Yarma İskender Âbimiz'in tasdiki icap ediyordu. Ne iş ki, şehri haraca bağlayan bu ekstra ekstra külhânî de, huzuruna varmak isteyenleri, yeraltı aristokrasisinin Versay'ı sayılan Sultanahmet Cezaevi'nde kabul etmekteydi. Efendimiz'in buraya girmesi için bir cürüm işlemesi, meselâ pos bıyıklı mahalle bekçisinin mâbâdına, Yaradan'a sığınıp bir tekme atması gerekiyordu. Attı da! Âferin! Pîr olsun! Karakolda dayak yemesi gerekiyordu. Yedi de! Bravo! Can kurban! Hey! Hey! Hey! Böylece, arası soğumadan Sultanahmet Cezaevi'ne yollandı. Kıdemi az olduğu için cezası da henüz azdı. Ama bu süre zarfında pekâlâ, bilinen âlemin fatihi Yarma İskender Âbimiz'in huzuruna kabul edilebilirdi. Ne var ki daha ikinci günde Efendimiz Hazretleri'nin, hâşâ, maçası sıkmamış, gardiyan sopasından ve idamlık pandiğinden usandığı için gizli gizli ağlar olmuştu. Olsun, yine de can kurban! Bununla birlikte, İdris Âmil Hazretleri'nin bu mekâna ne murad ile geldiğinden oradakiler bîhaber değildi. Nitekim bir gece, paltolarını sırtlarına kartal kanat geçirmiş yedi esrarengiz kabadayı onu uyandırdı. İşte o gece Yarma İskender Âbimiz'in huzuruna varacaktı.

O karanlık gecede Efendimiz'e refâkat eden kabadayılar önlerinde birbiri ardına açılan demir kapılardan geçerlerken, kilitleri tıngırtıyla döndüren gardiyanlar ellerini göğüslerine götürüp onların önünde hürmetle eğiliyorlardı. Derken merdivenlerden aşağı inmeye başladılar. Bu yetmedi, daha daha aşağılara indiler. Çünkü Rumeli Külhânbeyi, şânına yaraşır bir şekilde, bodrumun bile altındaki hücresinde kalıyordu. Burada elektrik düğmesi yoktu. O yüzden kabadayılar, daha önceden dürüp neft yağına batırarak hazırladıkları gazeteleri yaktılar ve bu meşalelerin ışığı altında, dar geçitlerden yürüyüp en sonunda Âbimiz'in hücresine, yani Rumeli Külhânbeyi'nin taht salonuna vardılar. İdris Âmil Efendimiz'de, hâşâ, ciğer olup olmadığı belli olacaktı. Kara paltolarını kartal kanat sırtlarına atmış yedi kabadayı hücrenin önünde bir durduktan sonra kapıyı tıklattılar ve eğilmiş vaziyette hürmetle geri geri çekildiler. Ne hikmetse, tıklanan kapı gıcır gıcır gıcırdayarak açıldı. İdris Âmil Hazretleri, açılan demir kapıdan içeriyi görünce, hayatındaki en korkusuz, mangal yürekli ve husyeleri altı okka çeken külhânîyi gördü. O anda yüreği yerinden oynayıverdi!

Bütün korkuları yanı sıra nihayet teofobisine karşı da zafer kazanan külhânbeyi, etrafındaki parıl parıl yanan mumlar tarafından aydınlatılan üç meş'ûm kız heykelinin bulunduğu sehpanın önünde diz çökmüş, neûzübillâh, Lât, Uzzâ ve Menât isimli bu putlara, ibâdet ediyordu! Tövbeler olsun! Allah hidâyete erdirsin! Âmin! Nerede ne varsa.

İdris Âmil Hazretleri önce, meşalelerin birer ikişer söndüğünü zannetmişti. Oysa gözleri kararıyordu. Galiba altına da kaçırmıştı. Gözlerini cezaevinin revirinde açtığında bir sıhhiyeci hem küfürleri basıyor, hem de Efendimiz'in suratına ardı ardına tokatları patlatıyordu. Zaten nebze kadar olan forsu da gitmişti. Artık koruyanı kollayanı da olamazdı! Yegâne çaresi, mâbâdını tekmelediği bekçiden af dileyip adamın elini bir öpmekti. Rütbesinin tenzili pahasına olsa bile bunu yaptı da! Hâlbuki, bir Kasımpaşa çıyanı, değil bekçi, polis eli bile öpmezdi. İyidir hoştur, adam şikâyetini geri almıştı ama, hapisten çıkmazdan bir gün önce Efendimiz, artık avâmdan biriydi. Çünkü hâdise yeraltı âleminde derhal işitilmiş ve İdris Âmil Efendi Hazretleri nâhak yere, Babalar Kıraathânesi'ndeki ihtiyar heyeti tarafından 'ciğersizin teki' olarak damgalandığı, âdeta dinden ve racondan saptığı için, Kasımpaşa zâdegân camiasından def ve aforoz edilmişti! Fakat Efendimiz onların bu kararını sallamadı. Cezaevinden çıkıp ciğerlerine hürriyetin bulutlarını çektiğinde, yine şu nidâyı koyuvermişti:

"Hüüüüüüüüüüüüüüüüüp! Jjjjjjjjjjjjjjjt! Nah-ha!"

Köprüyü geçip Kasımpaşa'ya doğru yürürken aksi gibi, mitraların gacoların elâ, yeşil, kara gözlerindeki zührevî ateş daha şimdiden gönlünü tutuşturuyordu. Kadınlar kavga etmezdi ama bütün kavgalar kadınlar içindi, medeniyeti kadınlar kurmamıştı ama medeniyet kadınlar için kurulmuştu. Kısacası zaten mankafa olan erkek tâifesi, cins-i latifi görür görmez daha da bir delirdiği için, onu elde etmek gayesiyle gece gündüz demeden didinip yırtınarak icatlar yapmış, ayağına üşenmeyip keşif seyahatlerine çıkmış, sırf onları tavlamak için kendini paralayıp cilt cilt kitaplar yazmıştı. Hanım kısmı erkeği, zavallının kalbine aşk okunu sokup gebe bırakır, sonra da ona dokuz doğurturdu. İşte bu yüzden İdris Âmil Hazretleri müşkül vaziyetteydi. Bekçinin elini öptüğü için hem forsu hem de afisi kalmadığından, o devirdeki Kasımpaşa'da caka atacağı bir mitra da bulamazdı. Mahallesindeki lâkaplar ve unvanların o devirde, şehrin geri kalanındaki karşılıkları 'kalas,' 'odun,' 'hoyrat' gibi hiç de âdil olmayan kelimelerle ifade ediliyordu. Öyleyse kendisine zarâfet kazandırmalıydı. Evet! Mangal gibi bir yüreği yoktu! Ama âhûları âfetleri görünce aşktan pırpır atan bir kalbi vardı! İşte böyle birinin yufka yürekli olmaması imkânsızdı. Hâl böyle olunca Efendimiz Hazretleri, art eteğinde kadın kızın namaz kıldığı biri olabilirdi. Fakat gacolar süsü çok sevdiklerinden, yalınkat bir aşkı refüze ederlerdi. Öyleyse hislerini daha şatafatlı hâle sokmalı, yani şiir yazmalıydı.

Böylece Efendimiz, bakkaldan kâğıt kalem alıp şiir sanatına kendini verdi. Ama iş elbette bununla bitmeyecekti. On yedi yaşına basıp suratında sivilceler patlamaya başladığında, pederine yalvar yakar oldu ve adamdan kopardığı parayla eskiciye gidip kendisine, hayli yıpranmış ve iki beden büyük de olsa, şâirlere lâyık ve mahsûs bir takım elbise, afisi tam olsun diye bir de hasır şapka almıştı. O yaşlarında Efendimiz'in kafatası dardı ve hasır şapka bu yüzden tam oturmuyor, şiddetli rüzgârlarda başından fırlayıp uçuyor, o da peşinden koşturuyordu. Bu nedenle şapkanın iç kenarlarını gazete kâğıdıyla beslemek zorunda kalmıştı. Bununla da kalmadı, boyunun kısalığını az da olsa gidermek için kunduralarının ökçelerini söktürüp daha yüksek olanları çaktırdı. Evet! Kâh kalbi kâh kılığıyla artık bir şâire benziyordu. Bazen, bu sanatın bir icâbı olarak, hava kapalı ve hele yağmurlu olduğunda Sarayburnu'na gidiyor, kalbindeki kızlara erişmenin, şu Kızkulesi'ne erişmek kadar zor, belki de imkânsız olduğunu düşünüp, için için ağlıyordu. Gerçi kalbinde kızlar vardı, ama gönlündeki aslan da kükremeye başlamıştı: Yazdığı şiirleri bir yolunu bulup bastıracak, onun kitabını okuyan kız tâifesi de, kadın ruhunu mümkün mertebe iyi anlayan bu hisli ve büyük şâire hayran olup Efendimiz için yanıp tutuşacaktı.

Kız tâifesinin yüz vermemesi, İdris Âmil Hazretleri'nin kendisinden haksız yere az buçuk şüpheye düşmesine yol açmış gibiydi. Ama şüphesi yersiz olsa gerekti: Mecmûada gördüğü o daire içinde kollarını bacaklarını açmış 'mükemmel âdem' bedeni pek doğru çizilmemiş olmalıydı. Ressam eğer Efendimiz'in sûretini bir görmüş olsaydı, daireyi yukarıdan az bastırır, kol ve bacakları daha güdük, daha bir derli toplu çizme şansına nail olurdu. Evet! Evropa sanatçıları hayatlarında hiç mükemmel bir erkek bedeni görmemişler, çünkü Kasımpaşa'ya hiç gelmemişlerdi. Yunan hendeseciler de altın oranı yanlış hesaplamış olmalıydılar, öyle ki, oranın hakikî kıymetini bulmaları için Efendimiz'in mübârek suratına bir bakmaları yeterliydi! Çünkü İdris Âmil Hazretleri kutub idi ve insan bedenindeki vezni araştıran bütün ressam ve heykeltıraşlar da tıpkı seyyâreler gibi onun etrafında dönüyorlardı. Şu apaçık bir hakikatti ki, Efendimiz aslında, 'Kasımpaşa Herkülü' addedilmeliydi! Esasında, ressamların ve heykeltıraşların cetvel, pergel ve benzeri hendese âletleriyle onun kâmil bedenini bir ölçüp biçip Zeus'u, Aşil'i, Perse'yi ve Tese'yi mermerden yeniden yontmaları, Efendimiz sivilceli olduğu için de heykele pek zımpara vurmamaları icap ederdi! İllâ ve lâkin, bunların hiçbirinde, sanata heves ve ilim aşkı yoktu. Bu da elbette ki sanata ve kâinatın hakikî kıstaslarına karşı işlenmiş bir ihanetti. Sanki müzede Apollon heykelini seyrediyormuş gibi, Sokrat'ın "Kendini bil!" nasihati mucibince, bir öğle sonrası vitrin camında kendisini iki saat boyunca dikkatle inceleyen ve neticesinde, hem sivilceleri, hem basık burnu, hem fırlak gözleri ve hem de boyunun kısalığıyla sulh yapmakla kalmayıp, en mühimi, bu özelliklerinden dolayı bir de kendisine âşık olan İdris Âmil Hazretleri, gelip ayaklarına kapanacaklar diye kız tâifesine acır bile olmuştu.

Feylesofun "Kendini bil!" nasihati uyarınca, aynaya baktığı vakit gördüğü sûrete gayet haklı ve münasip olarak âşık olan Efendimiz, bu yetmiyormuş gibi, yareninin siyah camlı güneş gözlüğünü al aşağı tut yukarı altmış kuruşa satın almış, böylece fiyakasını tam tekmil eylemişti. Yareniyle yaptığı pazarlıkta, onun briyantinini on beş günde bir defa kullanmak da vardı. Hoş! Yareni miktar konusunda cimri davranıyor ve pazarlıkta kararlaştırdıkları gibi, bu müddet bitince, tüpünden briyantini Efendimiz'in mübârek avucuna anca bir nebze sıkıyordu. Fakat bu miktar bile İstiklâl Caddesi'ne çıkmak için yeterliydi. Pantolonunun sağ arka cebindeki tarağıyla daha o yaşında saçlarını geriye tarayan İdris Âmil Hazretleri, Allah korusun, vurulup kendisine bağlanırlar ve bu hâlleriyle yoluna baş koyduğu şiir meşgalesinde ona ayak bağı olurlar diye kız tâifesine pek nazar eylemezdi. İşte bu, hakikî bir sanatkârın tavrıydı. Evet! Efendimiz cins-i latife karşı istiklâlini ilân etmişti. Gel gör ki, daha eli hanım eline değmemiş, hattâ Abanoz Sokak'ta siftah bile etmemişti. Kız tâifesine ilgisi, şiir sanatında terakki kaydetme gayretinden ileri geliyor gibiydi. Kadın kız olmasa şiir miir yaza-mazdı. Ama bu işin bazı tehlikeleri de yok değildi: Nitekim günün birinde Cadde'de, Efendimiz'in gözü ve gönlü bir kı-za aktı ve sırf ona bir şiir yazmak için bu âhûyu evine ka-dar takip etmeye karar verdi. İşin kötüsü, varlığını hissettir-miş olmalı ki, kız ikide bir dönüp öfke ve endişeyle ona ba-kıyordu. Bir süre sonra da telefon kulübesine girdi ve içeri-de meçhul biriyle konuşmaya başladı. Efendimiz Hazretle-ri de bir vitrini seyrediyormuş numarası yapıp yan gözle de kıza kaçamak kaçamak bakıyordu. Neylersin ki, ansızın bir "Yiiiiheeeeeeeeyt!" sedasıyla yüreği ağzına geldi! Kızın âbi-si olduğu her hâlinden belli, göğsü kıl içinde bir adam, üs-tünde redingot ve altında da paçaları sıvanmış çizgili pija-ması olduğu hâlde, ailesinin namusunu korumak muradıyla ona doğru koşturuyordu! Hızlı koşmak için olsa gerek adam yalınayaktı ve elinde de bir meşe odunu göze çarpmaktay-dı. Kısacası kızın âbisi, sanattan şiirden anlayacak birine pek benzemiyordu. Kendi mübârek ve kâmil bedenini so-pa darbelerine karşı korumak Efendimiz için farz olduğun-dan, kaçmaktan başka çare yoktu. Fakat İdris Âmil Hazret-leri'nin kundura ökçeleri o kadar yüksekti ki, öfkeli âbi onu daha otuz metrede yakalar ve canına okurdu. Bu sebepten Efendimiz kunduralarını ayağından fırlattı ve Tünel'e doğru koşturmaya başladı. Tam on dakika koşup tıkandığında ar-kasına bakmış ve tâ geride o öfkeli âbinin, bir yandan yum-ruğunu sallayıp bir yandan da bas bas bağırdığını görmüştü. Elinde meşe odunu olan göğsü kıllı âbi, eğer onu bir daha Beyoğlu'nda görürse kemiklerini un ufak ettikten sonra ka-rakola çektireceğini haykıra haykıra beyan ve tebliğ etmek-teydi. Ara sokaklardan birindeki kıraathânede karanlığın çökmesini ve ortalıktan el etek çekilmesini bekleyen İdris Âmil Hazretleri, daha sonra kunduralarını fırlattığı mevkiie gelmiş ve onları bir çöp varilinin içinde bulmuştu. Kasımpaşa'daki evlerine gece yarısına doğru vâsıl olduğunda, oturup "Aşkın Gazâbı" isimli şiirini kaleme aldı. İlâhî!...

Allahû Teâlâ İdris Âmil Efendimiz'i seviyor ve kolluyor olmalıydı ki, şâir takımının sadece âşık olması değil, fakat aynı zamanda ıstırap da çekmesi icap ettiğinden olsa gerek, Efendi Hazretleri bir gün kendisini hayli muazzam bir sıkıntının içinde bulacaktı: İşte o günden bir hafta kadar önce, sağanağın kesilmek bilmediği bir gece çalınan kapıyı açtığı vakit karşısında, ailenin yegâne delisi olan dayısını görmüştü! Seneler evvel evden kaçıp sır olan bu ağlargüler adam, omuzuna kayışla, radyoya benzer bir tahta kutuyu çaprazlama asmıştı. Zırdeli bildikleri Dayı'yı hemen içeri alıp, gürül gürül yanan sobanın başına oturttular. Adam iyileşmiş gibiydi. Daha evvel ikide bir ona buna saldıran, şu kadına bu kıza âşık olan ve daha kötüsü, sık sık kumar nöbetlerine yakalandığı için bitirimhânelerde dünyanın parasını kaybeden Dayı, eskisinden farklı olarak ne bağırıp çağırıyor, ne karasevdalı ve ne de gözü kara görünüyordu. Adamın gayet sakin bir sesle anlattığına bakılırsa, onun senelerdir azap çekip ona buna cefa verdiği bu delilik illetine, yolunun düştüğü Diyârbekir'in Sur Mahallesi'ndeki bir pratisyen toktor ile, yine aynı mahalledeki bir radyo tamircisi dermân bulmuştu. Toktor ile tamircinin cedleri, biri Diwana ve diğeri de Zengetil denen iki hasım köye dayandığı için birbirleriyle pek geçinemiyorlardı. İşte aralarındaki gereksiz münakaşalar sebebiyle Dayı'nın şifâ bulması uzamıştı. Şifâ ise ilâç milâç değil, omuzuna çapraz astığı şu radyoya benzer tahta kutuydu. Kutunun üzerinde iki düğme, ibreli ve ışıklı bir kadran ve bir de kapı zili vardı. Bu tuhaf cihazdan çıkan bir kablo doğruca Dayı'nın kasketinin içine gidiyordu. Nitekim kasketini çıkarınca, kablodan çıkan üç ayrı telin, adamın kafatasına toktor tarafından açılıp daha sonra her birine birer elektrot sokulmuş üç deliğe muntazaman girdiğini fark ettiler.

İşte bu elektrotlar adamın dimağının, 'gazap,' 'karasevda' ve 'kumar'dan mesul merkezlerine, icap ettiği, yani zil çalmaya başladığı zaman azar azar cereyan veriyor ve Dayı'nın deliliği kesiliyordu. Tamircinin eski ve bozuk radyoların lambalarını ve benzer parçalarını kullanıp hazırladığı cihazın kablosunu kafaya, işte bu toktor, önce tükenmez kalem ile işaretledikten sonra, bir matkap ile delik açıp dimağın marazî mıntıkalarına itina ile bağlamıştı. Adam asabîleşir gibi olduğunda zil çalıyor, Dayı cihazın üç kademeli birinci düğmesini 'gazap' konumuna getiriyor, ardından ikinci düğmeyi kâfi miktarda döndürüp bizzât kendi dimağına bir nebze cereyan verince âdeta kuzu kesiliyordu. Kadına kıza gönlü kayar gibi olup da cihazın zili yine çaldığı vakit, aşk acısından kurtulması için, birinci düğmeyi 'karasevda'ya getirdikten sonra, yine ikinci düğmeyi aşkının şiddetine göre döndürüp ayarlaması kâfi geliyordu.

Ailenin, Hacı Dede'den kalma ve şimdi ortak işlettikleri mandıra yegâne geçim kaynaklarıydı ama, cihazının tükenmeye yüz tutan pillerini yenilenmesi için Dayı'nın Efendimiz'e verdiği 15 kuruş ile Babalar Kıraathânesi'ndeki çay kahve borcu kapatılınca bir felâket vuku bulacaktı: Dayı'nın dimağına icâbında cereyan veren cihazın pili tükendiğinde, artık kendini pek kontrol edemeyen adam bir halttır etmiş, yani Galata'nın zorba tâifesinden birkaç külhânîye epey bir kumar borcu yapmıştı. İşte bu adamlar gelip gelip giderek kapıyı tekmeliyor, Dayı'yı sallayıp silkeliyor, borcunu oracıkta ödemesi için ikide bir adamcağızın gırtlağını sıkıyorlardı. Nihayet borç takside ve iş de tatlıya bağlandı. Ne çare ki aile böylece maddî sıkıntıya düştüğünden, Efendimiz'in bir iş bulup çalışması artık şarttı. Üstelik bunu derhal yapması icap ediyordu. Neyse ki kumarbaz Dayı, Efendimiz'e bu konuda yardım etti ve onu Abanoz Sokak'ta, baş müşterisi umumhâne kadınları olan bir aşçı dükkânına, on beş kuruş yevmiyeyle garson olarak yerleştirdi. İdris Âmil Hazretleri'nin vazifesi, başının üzerindeki kocaman tepsiyle umûmhânelere yemek taşımaktı. Bu iş, kumarbaz Dayı'nın Efendimiz'e bir kıyağıydı. Ancak Hazret'in bu mesleği dedenin pek o kadar hoşuna gitmemiş olacak ki, evde ikide bir avaz avaz, "Hacı Seyfullah Efendi'nin torunu İdris gavat oldu!" diye haykırıyor, Efendimiz'in mâderi de pederi de ihtiyarı bir türlü susturamıyorlardı. Öyle ki komşular, sabahları horoz sesiyle değil, aklî melekelerini kaybetmeye başlayan ihtiyarın, "Oyyy! İdris'im gavat oldu!" feryadıyla uyanır oldular. Oysa Efendimiz gavat mavat olmuş değildi. Yaptığı iş sadece, umûmhânelerden sipariş edilen yemekleri, kafasının üzerine yerleştirdiği koskoca bir alüminyum tepsiyle sipariş sahibelerine taşımaktı. Bu mesleğin bahşişi de boldu, ama Efendimiz daha umûmhâneden girer girmez, hemen bir kadın onun yanağından makas alırken bir diğeri kıçını avuçluyor, İdris Âmil Hazretleri'nin suratı mahcûbiyetten kıpkırmızı kesilince de kahkahayı basıyorlardı. Hâlbuki onun asıl mesleği şiirdi ve bu işi sonsuza kadar sürdüremezdi. Çünkü bu meslekte, her ne kadar terfi imkânı olsa da, en fazla peçeteci olurdu. Lâkin, ümitsizliği çok sürmeyecekti. Nitekim, umûmhânelerden birinin sermayesi olan Handan isminde bir esmer güzeline gönlünü kaptırır gibi olmuştu. Derken her gece bu hanıma mum ışığı altında şiir yazmaya başladı. Kendini hislerine o kadar kaptırmıştı ki, daha otuzuncu şiirde, kalbi aşk ateşinden az kalsın kül oluverecekti! Bu azâba tahammül edemediğinden olsa gerek, gönlünü kor ve kül eden meseleyi ailesine açtı. Sonunda, hem mâderini hem de pederini görücü gidip, Handan'ı ailesinden istetmeye razı etti. Zaten Efendimiz, hanımı takip edip evinin yerini çoktan keşfetmişti. Vaziyet hanımın ailesine çıtlatıldı. Beklenen gün geldiğinde ise, elinde bir kutu lokum ve diğer elinde de bir demet gül olduğu hâlde İdris Âmil Hazretleri, mâderi, pederi, dedesi ve Dayi ile birlikte, Handan'ın Salı Pazarı'ndaki evine cümbür cemaat vâsıl olup kapıyı çaldılar. Efendimiz ve ailesi gayet hoş karşılanmıştı, fakat Handan'ın muhterem pederi, ne olursa olsun, Efendimiz Hazretleri hakkında bir tahkikat istiyordu.

Ama işte! Tam da bu sırada kıyâmet kopuverdi! Biri kapıya gümbür diye tekme atıp kırdı ve içeri ızbandut gibi, dazlak ve kızıl bıyıklı bir adam, nâra koyuvererek girivermişti! Bu lendûhâ gibi adamın ismi Mercan idi ve ne yazık ki Handan'ın belâlısıydı. İşin kötüsü, belindeki kuşağa bir gaddâre ile kasap masadını çaprazvarî sıkıştırmıştı. Bir nâra daha koyuverdikten sonra bunları kuşağından çekti ve bir yandan sağda solda bulunan sehpa tabure iskemle gibi mobilyaları tekmeleyip ortalığı dağıtırken, bir yandan da gaddâresini masatla şak şuk bilemeye başlamıştı. Herkes can derdiyle çığlık çığlığa sağa sola koşuşturuyor, ama adam bas bas bağırarak, İdris Âmil Hazretleri'ni onun bunun avradına kızına göz diken bir ırz düşmanı olmakla ithâm ediyordu. Ağzından köpükler saçan adamın dediğine bakılırsa, meseleyi kan temizlerdi. Akabinde, Mercan nâm bu heyûlâ gibi kabadayı, "Kim benim Handan'ımın ırzına namusuna göz koyan şerefsiz!" diye bağırınca, korkudan haklı olarak yüreği ağzına gelen Efendimiz Hazretleri de, eliyle o kumarbaz dayısını işaret ediverdi! Izbandut, Dayı'ya doğru koşturup, "Yiiieeeyyyt! Yaşatmam seni me'bûn!" diye bağırınca, o da ahşap merdivenden yukarı kata kaçtı. Mercan da peşinden fırladı. İdris Âmil Hazretleri ise can korkusuyla, bunu fırsat bilip kendini evin kapısından sokağa zor attı, peşinden de çığlık çığlığa, mâderi, pederi ve dedesi fırladılar. Bu esnada evin damından nâralar ve Dayı'nın korku dolu feryatları işitiliyordu. Anlaşılan Dayı dama çıkmış, kabadayı da onu kovalamaya başlamıştı. Öyle ki, damdan dama atlaya atlaya mutlak bir ölümden kurtulmaya çalışan Dayı, az ileride düşecek ve sol uyluk kemiğini kıracaktı.

Umûmhâne aşçısında artık çalışamayacağı için İdris Âmil Hazretleri, ekmeğini şiir denilen o yüce sanattan kazanmaya karar vermişti. İşte bu, gayet iddialı olduğu bir meslekti. Üstelik, bu meslekte bütün gün tembellik etse bile kimse ona âvâre serseri falan diyemez, olsa olsa, "Kimbilir gönlünde inci gibi ne mısralar diziyordur!" diye söylenirlerdi. Böylece Efendimiz kendisini, hayat denilen nehrin akışına bırakmaya karar vermişti. Derken bu akıntı onu, Kasımpaşa Belediyesi'nin ilân vitrinine götürdü. İlânlardan biri dikkatini çekmişti. Saman kâğıdı üzerinde şunlar yazılıydı:

---

**AVÂMA AÇIK**
**SAN'ATKÂR MÜELLİF KURSU**
**Yer:**
**Ümmü Gülsüm**
**Kıraathânesi**
**Saatler:**
**Hafta içi: 20.00-21.00**
**Ders ücreti (saatlik)**
**5 kuruş**

---

Efendimiz'in cebinde alt tarafı 1 kuruş olduğu için üstünü rica minnet, yareninden tamamladı ve akşam ezanı okunurken Ümmü Gülsüm Kıraathânesi'ne varıp, çay demleyen ocakçıya kurs için müracaat etti. Ocakçı da, kesme şeker kutusundan yırttığı kartona, İdris Âmil Hazretleri'nin o mübârek ismini kargacık burgacık harflerle yazdı. Ancak kurs olarak hizmet veren kıraathânede kara tahta yoktu. Onun yerine sıvasının üzerine boya vurulmamış bir duvarı kullanacaklar, tebeşir yerine de birkaç kiremit parçasıyla bu duvara yazı karalayacaklardı. Ocakçı, üzerine sigara dumanından sararmış bir dantel örttüğü lambalı radyoyu Kahire'ye ayarlamış, her zaman olduğu gibi meşhur şarkıcı Ümmü Gülsüm'ü dinliyor ve bangır bangır dinletiyordu. Zamanla kurs talebeleri olduğu anlaşılan şahıslar birer ikişer gelip isimlerini yazdırdıktan sonra, ellerinde yahut ceplerinde defterlerle sandalyelere oturup ders saatini beklemeye başladılar. Tam beş dakika kalmıştı ki, suratı çimento gibi donmuş bir zât içeri girdi. Ocakçı, Kahire radyosunu hemen değiştirip düğmeyi döndürerek Monte Karlo'ya ayarladı. İçeri giren zâtın koltuk altında, talebe sayısı kadar, yani on iki incecik kitap vardı. Bunlar onun şiir kitabıydı ve her biri altmış sayfa kalınlığındaydı. Adam, kitabının ilk on sayfasında hayat hikâyesini anlatmıştı. Ama bu kısımda elbette, Eton Koleji'ni bitirdiği, ardından Oksfort'ta magister olduğu, nihayet Kambriç'te toktora yaptığı, kitabının on yigirmi lisana tercüme edildiği gibi ehemmiyetsiz şeyler yazacak durumda değildi. Kırklareli'nde bir matbaada bastırdığı şiir kitabında kendisi hakkında anlattıklarına bakılırsa, daha haysiyetli bir yol seçmiş, yani iyi şiirler yazmak için memleketin içtimaî nizâmıyla hesaplaşma yoluna gitmişti. Ne var ki, tam dört edebiyat mecmûasında içtimaî muhtevalı şiiri yayımlanmasına, üstelik bir de kitabı olmasına rağmen, ne savcılıktan celp gelmiş ne de kapısına polis dayanmıştı. Anlaşılan, siyasî şubede pek edebiyat heveslisi yoktu. Ama olsun! Hodri meydan! Buyursunlar gelsinlerdi! Ona göre iyi edebiyatçı, kabiliyetli değil cesur olmalıydı. Herhalde bundan, iyi fizikçilerin de zeki değil, cesur olması gerektiği sonucu çıkardı. Evet, tevkif edilmeyi bekleyen adamcağız, aynı zamanda dürüstlüğün de insanoğlu için vazgeçilmez bir meziyet olduğunu düşünmekteydi. Öyleyse herhalde, dürüst kimyagerlere, dürüst tayyâre pilotlarına, dürüst laborantlara, dürüst astronomlara, teorem ispatlarken dürüstlükten sapmayan matematikçilere ihtiyaç vardı. Adam onlara en başta edebî ahlâkı öğretmek niyetindeydi. Altmış sayfa kalınlığındaki şiir kitabını da kursta talebelere okutacaktı. Beher kitap, hediyesi 30 kuruştu. Ama gönlü zengin olduğu için, yanında bir de kurşun kalem verecekti. Çünkü, kendi eseri diye söylemiyordu ama, kitapta altı çizilecek çok yer vardı. İşte bu adamcağız kurs hocasıydı. Ağırbaşlı ve muntazam biriydi. Bunun nedeni olsa olsa, heykeltıraş Roden tarafından muntazam bir şekilde yontulmuş, dinozor yumurtası kadar toparlak ve belki de içinde taşıllaşmış fikirler bulunan damarsız mermerden bir beyne sahip olmasıydı. Düşünceleri o kadar muntazam ve düzdü ki, sanki kafasını işletirken bir cetvel, yahut sürgülü hesap cetveli kullanıyordu. Maharet ile koskoca dünyayı, gereksiz ayrıntıların tekmilini ayıkladıktan sonra, boş bir sürahi kadar berrak olan zihnine sığdırmayı başarmıştı. İşte! Bunca merhale kat ettiği için şimdi de, müellif olmaya heves etmiş talebelere sınıf şuûrunu kazandıracak, edebiyatı öğretmekle kalmayıp bir de onları kurtaracaktı. Kısacası talebeler bir taşla iki kuş vurmuş olacaklar, ama kurtuldukları için ek ücret ödemeyeceklerdi.

Nihayet kıraathânenin çalar saati tokuz kere vurdu. Derken ocakçının yedi yaşındaki çırağı, elinde yağlı bir kasketle ortaya fırlayarak, "Evet âbiler! Pamuk eller cebe!" diye bağırdı. Kurs talebeleri birer ikişer 5 kuruşları kaskete attılar ve soracakları sualleri defterlerine yazarlarken çırak, topladığı parsayı Hoca'ya masa altından veriyordu. Hoca, Karl nâm bir Alman'ın hayranıydı. Fakat Karl'ın 'Sermaye' başlıklı eserinin bu memlekete geliş macerasını şöyle anlatmak belki doğru olurdu: 'Sermaye,' âdeta, Almanca'dan telgrafla Pekin'e çekildikten sonra orada Çince'ye, Çince'den de Ibıhça'ya tercüme edilmiş ve ardından da, bu hâliyle memleketin lisanına kazandırılmıştı. Böylesi daha iyiydi, çünkü okuyan hemen anlıyordu. Eğer esas lisanından tercüme edilseydi anlayan çıkmazdı. Çünkü sınırlı zihinler belki de, vestiyer ve kütüphanelerindeki tekstil ve tekstlerde buldukları boş-luklara anlam yamayarak, hem kitaplarını hem de kendileri-ni birer travestiye dönüştüren acemi terzilerdi. İştirâkiyyun mezhebi, herhalde bu tür terziler yüzünden memlekette di-kiş tutturamamıştı.

Sıra sual sorma faslına gelmişti. Vakit gece yarısına yak-laştığı için ayaz da artık hissedilir derecedeydi. İşin kötü-sü kıraathânenin iki camı çatlaktı ve cereyan yapıyordu. Bu yüzden birkaçı hariç talebeler, sandalyelerini sobanın yanı-na çektiler. İşte bu, adam boyunda, göbekli ve kahkaha atan bir Çinli şeklinde demirden dökülmüş akla ziyan bir so-baydı ki, adamın ağzından iki kürek kömür atıldı mı, "Har! Har! Har!" sedalarıyla kıraathâne çınlar, gıdasını aldığın-dan mıdır, herhalde demir Çinli sevinir, ama yakıt fazla gel-diğinde ise kızarıp bozarırdı. Ancak hararetı azalmıştı. Bu yüzden talebeler çırağa, sobaya kömür atmasını söylediler. Çünkü 'cereyanda kalmaktan' ve bedenlerine 'soğuk girme-sinden' ödleri kopuyordu. Anlaşılan o ki soğuğu, tıpkı mik-rop yahut adamın etine saplanan bıçak gibi maddî ve cisim-sel bir şey zannediyorlardı. Bu bakımdan 'soğuk' onlar için, iptidaî halkların totemi gibi maddî olmak yanında bir kütle-ye de sahipti. Soğuk, aynı zamanda tabuydu da. Cereyanda kalmamanın yanı sıra, işte bu yüzden 'taşa da oturmazlardı'. Çünkü oturmak sûretiyle bu tabuya dokundukları vakit so-ğuk, sert ve katı bir ejderha gibi, bulabildiği ilk geçitten be-denlerine girerdi.

İlk suali, yıpranmış ceketinin yakasından üzerinde yemek yağı lekeleri olan bir fular fırlamış ve Lisan Müessesesi'nin neşriyatını takip ettiği belli, yirmili yaşlarda bir talebe sordu:

"Nedensellikten kayan düşüncenin yaşamın işlevselliği üzerinde nasıl bir etkisi olabilir?"

Anlaşılan Hoca allâme biriydi ki, bu suale derhal cevap verdi:

"Toplumun sosyolojik yapısını oturtmak gerekir bunda. Budur sanatçının düşünsel görevi. Usumuzda yatanların iç gerçekliğinden, yapısal bir nitelik, işlevsel bir doku doğar özünde. Düşünselliğin ikliminden eser sınıf bilinci ve şiir sevgisi! Estetik güzellikten ödün vermek nedensellik boyutumuzu yozlaştıracaktır. Yaşanmışlıkları nasıl gördüğümüzdür aslolan!"

Bu·tür sorular ve cevaplar birbirini kovaladı. Anlaşılan bu şahısların her biri, lügatteki kelimeleri torbaya doldurmuş, rastgele çekerek cümleler kuruyorlardı. Cümlenin anlam taşıması için, özne, yüklem, nesne ve tümlecin olması kâfi görünüyordu. Fakat anlamın tamamlanması için cümlenin devrik olması şarttı. Çünkü edebiyatta devrim yapmanın başka çaresi yok gibiydi. Talebelerin ve Hoca'nın söz ve söylevleri, Canatan Sivif'in *Gülüver'in Seyahatleri* başlıklı kitabındaki, Lagando Akademisi'ni akla getiriyordu. Malûm olduğu gibi burada, mihanikî usûlle kollarını çevirmek sûretiyle kelime üretip eser yazmak için bir makina vardı. İşte bunun gibi her birinin zihni, kumarhanelerdeki slot makinası gibi çalışıyor, ilhâm perisi kolu çevirince, akıllarında bir cümle peydâ oluyordu. Öyle ki talih yâver giderse bu, "El, Eli, Eliyle, Elledi" gibi bir cümle olur ve şiir müsabakasında büyük ödülü kazanırlardı. Ama daha çok, deliryum ile demans arasındaki sanatkârâne sahada kol gezen bu şahıslar, zemine domuz kanıyla bir yıldız çizerek köşelerde mumları yaktıktan sonra, kukuletalarını da başlarına geçirip işte bu anlaşılmaz sözleriyle Şeytan çağırsalardı, sadece o değil, bütün cin tâifesi gelip kulak kabartır ve onların ilmine artık hayran olduğundan Karanlık Melek, insanoğluna derhal secde ederdi. Hoş! Benzetmek gibi olmasın, bu sözlere sadece Şeytan değil, kadın kız da tav olurdu. Çünkü o gece Ümmü Gülsüm Kıraathânesi'nde toplanan bu münevverlerin mezhebi ille bir 'izm' ile açıklanacak olursa, seçilmesi ge-

reken uygun kelime 'priapizm' idi. Gerisi fasa fisoydu. Yaz-
dıkları ve yazacakları her bir metin, söyledikleri her bir söz,
cins-i latife bir çük teşhiri, bir priapist manifestoydu. Lâkin
işin can alıcı noktası, edep yerini edebî bir şekilde göstere-
bilmekti. Fakat Aristo'nun Organon'u vücutlarına kafaların-
dan girmediği için, mantıkla fazla bir alâkaları var denemez-
di. Ama yine de, kendi tâbirleriyle, 'birikimli' idiler. Aslında
o gece o kıraathânedeki faaliyet bir münevver âyini, sual ve
cevapların her biri de birer "münevver duasıydı".

Derken, sobanın yanına ilişmeyip 'cereyanda kalan' sa-
de ve temiz giyimli o 'pandispanya çocuğu' kafasına takılan
bir meseleyi sormaya çalıştığında salon kahkahalara boğul-
du! Çünkü çocuğun ruhî sıkıntıları olduğu anlaşılıyordu ve
üstelik kekemeydi. Efgan Bakara isimli bu delikanlıya kar-
şı hemen oracıkta bir çete kuruluvermişti. Bu husûmetin se-
bebi, çete mensuplarının birbirine benzemek hususunda ya-
rış içinde olmaları, ama kurbanın onlardan hiçbirine benze-
memesiydi. Zaten istese bile onlara benzeyemezdi. O hâliyle
tek başına kalmaya mahkûmdu. Zaten Efgan'ın memleket-
teki hiçbir camiaya, hiçbir cemiyete, hiçbir klana ve hiçbir
gruba ait olamayacağını gören çete mensupları, kendilerin-
de var olan bütün utanç verici kusurları taş atar gibi atfettik-
leri kurbana acımasızca saldırıyorlar, bu kusurlardan dola-
yı bizzât kendilerinin çekeceği ıstırabı kurban çektiği ve on-
lar da arındığı için sevinçten kıkırdıyorlardı. Bu lumpen mü-
kemmeliyetçilerin sevinçlerinin sebebi, "İyi ki onun yerin-
de değilim! Benim yapabileceğim hatayı iyi ki o yaptı!" fikri
idi. Merkezkaç fizikteki kuvveti, ama içtimaî kudret, mer-
keze hücumdan geliyor gibiydi: Güzellik ve çirkinlik, dehâ
ve delilik gibi tabiî eksiklikler ve fazlalıklar, olağan insan-
larca kriminal bir hususiyet olarak kabul ediliyor, alayla ce-
zalandırılıyordu. Anlaşılan çok sayıda olmaları, aynı fikrî ve
bedenî üniformayı giyip cemaat içinde durmaksızın hizâ ve

istikametini kontrol eden normal insanları yanıltıyordu. Cemaat, zâniyeleri taşlarla, divâneleri kahkahayla recmediyor olsa gerekti. Çünkü bunlardan biri aşkına, diğeri ise zekâsına engel koymazdı.

Ama yine de Efgan Bakara'ya alayla gülenler pek haksız sayılmazlardı! Çünkü sanatkârlara yaraşır bir şekilde salaş sakil olan diğerlerinin aksine, yıpranıp eprimiş ceket ve pantolonu muntazaman ütülü, yağmur suyunun içeri sızmaması için sol tekinin tabanındaki deliğin gazete ile tıkalı olduğu ayakkabıları gıcır gıcır boyalıydı. Düğümü tatar böreğine benzeyen kravatı ise, çözüle takıla pırıl pırıl parlamaya yüz tutmuştu. Yanaklarında ve alnında yer yer patlamış, bazıları ise yeni yeni tomurcuklanmış sivilceler vardı. Kemik çerçeveli gözlüğünün camları ise, ucuz şarap şişelerinin dibi kadar kalındı. Zaten gece ondan, tâ sabah altıya kadar tashihçi olarak çalıştığı küçük gazeteden aldığı maaş, gözlük numarası ile aynıydı. Mürettibin dizdiği yazılardaki hataları bulmak zorunda olduğu bu zahmetli işte, ancak miyopisinin arttığı kadar terfi edeceği de âşikârdı. İşin aslı, gazetede ona bu işi takıntılı olduğu için vermişlerdi. Çünkü "Salla gitsin!" diyebilecek adamlardan değildi. Takıntılı olduğu o tertemiz ellerinden, bakımlı tırnaklarından ve ceket cebindeki bembeyaz mendilden de anlaşılıyordu. Enayi gibi bir de lise üçe devam ediyor, matematik, kimya, coğrafya, fizik gibi ıvır zıvır dersleri hâfızlıyordu. Zaten soyadı olan 'Bakara,' Arabî'de 'inek' demekti. Bu yetmiyormuş gibi kaşalotzâdenin dedeleri ve dedelerinin de dedeleri bu şehirde doğmuş, büyümüş ve ölmüşlerdi. İşte böyle fodullar adama tepeden bakarlardı! Hâlihazırda kader ona cezasını kesmişti: Çünkü ihtiyar annesiyle birlikte, kirasını ödedikleri iki gözlü bir çatıda yaşıyorlar, çatının altındaki lüks aile apartmanının sakinleri ise, kirayı zamanında ödeseler de ödemeseler de, onlara hizmetçi muamelesi yapıyordu. Kısacası anne oğul, asâlet taslayan hizmetçi takımındandılar. Hakikî asîlzâdeler ise, memleketten kaçmak zorunda kalan bir gayrimüslimden bu apartmanı apar topar satın alan, işte o ailenin mensuplarıydı.

O geceki ders bittiğinde talebeler sandalyelerini gıcırdatıp yerlerinden doğrulduktan sonra, elbise askısındaki paltolarını birer ikişer almaya başladılar. Ama Efgan Bakara denilen züğürt enayinin paltosu yoktu. İşte bu sırada, İdris Âmil Hazretleri, suratında alaycı bir gülüşle ona yaklaştı. Çünkü esaslı bir şâir olmak isteyen Efendimiz, 'insan tanımak' istiyordu. Fakat hâşâ! Efendimiz'in kafasında, "İleride ona işim mişim düşer, bir tanıyayım, tanıdığım olsun" gibi bir kötü bir niyet yoktu. Onun Efgan Bakara'ya ilgisi, entomolojistin böceğe ilgisi gibiydi. Sokağa çıktıklarında tanışma faslı bile olmadan onun koluna girdi ve öyle sualler sormaya başladı ki, Efgan'ın bu suallerin ardındaki niyeti bilmesine imkân ihtimal yoktu. Suratında sulu yılışık bir gülüşle İdris Âmil Efendimiz Hazretleri, kekeme enayinin anlattıklarını dinliyor, kendisini bu fodulla mukayese edip ondan ne kadar üstün olduğunu hissedip fevkalâde keyifleniyor, tiye aldığı kaşalotzâdeyi de, o Bâbıâlî'ye gitmek istemesine rağmen, bir yandan Beyoğlu'na doğru sürüklüyordu. Efgan Bakara da, sanki imtihana çekiliyormuş gibi her suali cevaplama ihtiyacı duymaktaydı. Enayinin her bir lâfında Efendimiz o mübârek nidâyı tekrarlıyordu:

"Hüüüüüüüüüüüüüüüüp!"

Bu enayinin dediğine göre, derste Hoca'nın 'eser geleceğe kalmalıdır' şeklindeki fikri pek doğru görünmüyordu. Çünkü fennî eserlerin tamamı geleceğe kalmayacaktı. Meselâ bu asrın başından evvel yazılmış bütün fizik, kimya ve tıp eserleri yakılmış olsa, ilim bir şey kaybetmezdi. Benzinli motorlara bakılırsa, Cemiz Vat'ın buhar makinası da geleceğe kalmamıştı. Ama astroloji, büyü ve hurâfe asırlar boyu sürmüş, geleceğe kalmıştı! Enayinin dediğine bakılırsa kurs hocası, 'sanatçı kendini tekrar etmemelidir' şeklindeki özlü sözü de sanki temelsiz gibiydi: Nitekim Tostoy, *Harp ve Sulh* başlıklı eserinin tördüncü cildinde, ilk cildindeki tarzını tekrar etmişti. Keza Rişar Fağner'in on sekiz saatlik operası da öyleydi. Bir opera aşağı yukarı üç saat sürerdi; işte bundan, aynı bestekâra ait, ve tarz itibâriyle birbirinin tekrarı olan altı opera çıkardı. Bunu kursta anlattığında talebeler, 'Yahudi hesabı!' diye gülüp geçmişlerdi. Ama keyfine ve çıkarına göre cömertlikle cimrilik arasında yalpa yalpa ve orsa boca gidip gelenlerdense, dünyayı ve kendini idare etme imtiyazı, belki de böyle hesap yapabilenlere mahsûstu. Öte yandan, hâşâ, Yaradan da kendini tekrar ediyor, yeni bir hayvanî tür yaratmıyordu. Enayi bir de utanmadan Hoca'nın mezhebine dil uzatmıştı: Allah kısmet eder de, sosyalizmin ardından komünist nizâm kurulursa, sınıf muharebeleri hâlihazırda biteceğinden, komünizm de artık kendini ilelebet tekrar edecek, işte bu nizâmda ilericilik böylece tarihe karışacağından cümle âlem muhafazakâr olacaktı! Yuha! Pes doğrusu! Ama İdris Âmil Efendimiz Hazretleri, yılışık sıvaşık sırıtıyor, enayinin sözlerine fazla aldırmadan kesif bir faikıyyet hissinin tadını çıkarıyordu. Kaşalotzâdenin sözü her tamamlandığında, Efendimiz'in o mübârek nidâsı işitilmekteydi: "Hüüüüüüüüüüüüüüüüüp! Jjjjjjjjjjjjjjjt!"

Zaten bu fodulu sürükleye sürükleye, Beyoğlu'nun arka sokaklarından birinde geçen sene bitivermiş bir pavyonun önüne kadar getirmişti. Kapıda dört Diyârbekirli fedaî bekliyordu. Adam bıçakladıktan sonra kuzu kuzu karakola gidip teslim olan kabadayıların tersine bu adamlar, altıpatları yedi kere patlatıp sekiz can aldıktan sonra pavyondan tokuz tabut çıkartabilecek şahıslardı. Ama Efendimiz, enayinin yine koluna girip o pek yaman bakan, insan sarrafı Diyârbekirli fedaîlere aldırmadan onu içeri soktu. Bahşiş için el uzatanlara göz kırpıp arkadaşını işaret ediyordu. Sahneye yakın olanlardan en havalı masayı istedi. Bu yetmiyormuş gibi fiski ve konsomatris de getirtti. O yılışık gülümseme, Efendimiz'in suratından silinmiyordu. Derken, o devirde bulunması son derece zor, bulunsa bile dünya kadar pahalı fiski şişesini paltosunun astarındaki delikten içeri atıverdi. Ayakyoluna gitmek bahanesiyle kalkıp tam çıkışa yönelmişti ki, Diyârbekirli fedaîlerden biri bileğini tutup ensesine okkalı bir şaplak indirdi. İşte bu sırada astar yırtıldı ve şişe yere düşüp tuz buz oldu, cânım fiski oraya buraya aktı. Yaptığı şey, pavyonda cinâyet sebebiydi. Ama onun ağzına gözüne yumruklarını, kıçına apış arasına tekmelerini indiren fedaîler o kadar da insafsız değildiler. Hırsızlığı karşılığında pavyonda tam bir ay çalışacaktı. Fedaî onu kovarken arkasından şöyle bağırdı:

"Gelmeyeyim deme! Gelmezsen, beş kişi gelip yigirmi beşinizin canına okuruz! Sizlerden biri kahpe dünyaya bedelse, bizlerden biri sizin beşinize bedeldir!"

Yaşlıca olan diğer bir fedaî de Efgan Bakara'yı dürtükleyip kapıyı gösterirken onu şu sözlerle azarladı:

"Gelme böyle yerlere bir daha! Bizim gibi olma! Git oku! Cemiyete faydalı bir fert ol!"

İki dişi kırılan ve burnundan durmadan kan gelen, yara bere içindeki İdris Âmil Hazretleri, ertesi gün gece onda pavyonda olması gerektiğinden, kendini toparlamak murâdıyla evinde istirahate çekilmiş ve o gece Ümmü Gülsüm Kıraathânesi'ne gelememişti. Ama Hoca dâhil diğerleri orada, hâlihazırda derse yigirmi beş dakika geciken mühim bir şahsiyeti, Kamu İlmî Teşebbüsü denilebilecek üniversiteden, rica minnet istirhâmla ders sözü alınan bir profesör hanımı bekliyorlardı. Olacak iş değildi! Çünkü bir profesör hanım, halkın arasına karışacaktı. Ama, ah! Hoca keşke, bir köyden çıkıp bu hanımın toktora için gittiği ecnebî memlekete devlet bursuyla giden, üniversitede okurken bir yandan da çalışıp ekmeğini taştan çıkaran, cazip tekliflere rağmen, sırf borcunu ödemek için kendi memleketine dönen hakikî bir akademisyeni, o gece oraya getirtseydi! Ama böyle bir akademisyen, edebiyatçılar için fazla gösterişli olmazdı elbet. Çünkü onlar bir edebiyat otoritesini değil, tam tersi, otoriter bir şahsiyeti, gösterişli bir senyörü tercih ederlerdi. Memlekette zaten, toprak ağaları yanı sıra, kültür ağaları da hüküm sürmüyor muydu?

İşte bu sırada, rektöre tahsis edilmiş makam otomobilinin fren sedası işitildi. Rektör bir kültür hizmeti olarak otomobilini profesör hanıma tahsis etmiş gibiydi. Ardından, şoförün yanında oturan asistan dışarı fırlayıp hocasına kapıyı açtı ve tilki kürküyle, elli yaşlarında, makyajı az buçuk ifrada kaçmış profesör hanım otomobilden indi. Kıraathâneden içeri girdikten sonra, hepsi hürmeten ayağa kalkmasına rağmen, yok saydığı bu insanlarla göz teması kurmamak için yere bakarak yürüdükten sonra kürsüye oturdu. Hattâ Hoca'nın uzattığı elini bile sıkmamıştı. Kürkünü çıkarıp asistanına verdikten sonra, salondaki talebelere bir göz gezdirdi. Bakışları yorgundu, çünkü tahsilini Yeni Dünya'nın Baston şehrinde yaptığı için medeniyet denilen illet onu yormuştu. Çarıklı erkân-ı harp, fraklı erkân-ı harp olduğu zaman, kalantor pederi tarafından bu ecnebî memlekete gönderildiğinde, o zamana kadar nimetleri olduğunu gördüğü medeniyetin, aslında tamamen külfet ve çalışmadan ibâret olduğunu anlamıştı. Okusun diye gönderildiği üniversitede, rica minnet torpil piston işlemediği için hayli sıkıntı çekmiş, sonunda bu hanımın Orta Doğu için iyi olduğuna kanaat getirdiklerinden, felsefe doktörü değil, Orta Doğu'nun felsefe distribütörü olsun diye sertifikasına damgayı vurmuşlardı. İşte bu hanımın o zamanlar, karakter ve zekâ bakımından rekâbet edemeyeceği insanlarla karşılaşması neticesinde kendine hürmetinin epey azalması, memleketine yani köyüne dönme kararı almasına sebebiyet vermişti. Şehirde, aristokrasinin yerini 'yüksek' sosyete, sosyetenin yerini de artık eşrâf aldığı ve o da üçüncüsüne dâhil olduğu için kendini ezik hissediyor, ilki olamasa bile ikincisiyle arasındaki câri ve aklî açığı, unvanıyla ve pederinin mütevâzı fabrikasıyla kapatmayı umuyordu. Gel gör ki aldığı felsefî eğitim, aklî kifâyetsizliğin semptomatik tedavisi içindi. Medeniyet yolunda koşan bir maratoncu ciğeri yerine, bisiklet pompası ile şişirilmiş egosunu sarsan ve akıl erdiremediği en mühim şey ise kocasının, kendisi dururken kültürsüz, tabiî ve bayağı kadınları tercih etmesiydi. Sahip olduğu unvan, makam ve umrân sayesinde ona buna gözdağı vermesine bile gerek yoktu. Canını sıkan bir şahıs olunca pederine sızlanması, adamın da işi avukatına, onun ise icap eden lâfları söyleyecek şahıslar bulmakla mükellef muavinine havale etmesi kâfi geliyordu. Hakikî ve ahlâklı akademisyenlerden farklı olarak ayrıca, üniversitede ona biat etmiş, himayesine aldığı favori asistanlardan müteşekkil bir de aşireti vardı ki, onun bunun hakkında dedikodu toplayıp şunun bunun hakkında söylenti yaymak da bunların işiydi. İşte bu hanım öyle bir âlemde hüküm sürüyordu ki, Demeter'in kızının Hades tarafından kaçırıldığı, Herkül'ün Hidra'yı öldürdüğü, İkarus'un kanatlarının güneşe yaklaştıkça eridiği gibi efsanelerle bile dalga geçen kadîm Yunanlar'ın aksine, bu camiada hemen herkes, çıkarılan söylentilere ilmî metot gereği inanır ve dipnotlar düşerek yeniden neşrederdi. En ziyâde, bu tür neşriyatla kıdem, unvan ve nüfûz kazanılırdı. Bu sûretle, hanımın camiasında akıl ve ahlâk konusunda mitostan logosa geçilemediği için, ezkaza bir güneş doğarsa, kalleşçe yollardan Şark'ta derhal batırılır ve ufuktaki kanın kızıl rengi keyifle seyredilirdi. Fakat profesör hanımın hakkını yememeli! O bir hayatta kalma çabası içindeydi! Sebebi de açıktı: Fabrikatör pederinin servetini kıskanan fakir fukara, ona diş biliyor, kuyusunu kazıyordu. Buna fabrikadaki ameleler de dâhildi. Doğrusu, Yeni Dünya'da böylesini görmüş değildi. Çünkü pederinin fabrikasında çalışanlar adamakıllı ter kokuyorlar, bu yüzden yolu ezkaza buraya düştüğü vakit profesör hanım, içeri girer girmez Fransız parfümü sıktığı ipek mendiliyle ağzını burnunu kapatıyordu. Ona göre mimarî, resim, müzik, edebiyat gibi parfüm de medeniyetin esansı, özü iken, 'alın teri,' alt tarafı onun tiksinilecek bir atığı idi. Zaten, Ümmü Gülsüm Kıraathânesi'nde o gece talebelere dediğine bakılırsa, pederinin fabrikasındaki ameleler bir hayli tembeldiler, çünkü dokuzuncu saatten sonra verimleri düşüyordu. Hoca ise, hanımın anlattıkları onunkine aslında ters olmasına karşılık, profesör ne söylerse söylesin, Arabî bilmeyenlerin Kur'ân dinlediği gibi dinliyordu. Sanki hanımın söyledikleri yazıya dökülüp bu metin ıstampayla Hoca'nın zihnine basılmıştı. Belki kötü insanlarca, ilme irfana sağır olduğu düşünülen hanım, ondan bir mertebe üstündü. Çünkü Baston şehrinde, kendi memleketinin çobanlarından birinin danışmanı olması umuduyla, 'otur, yat, yuvarlan, aport' ricalarını anlama hususunda ihtisas yapıp gözlerini dikkatle aça aça 'sağır kef tokuz' terbiyesi almış, memlekette bizi 'duyun be açız' diye terbiyesizlik eden ahaliyi hizâya getirecek mertebeye ermişti. Zaten Hoca onu kıraathâneye o gece, talebeler medenî, kültürlü ve hürmete şâyân bir profesör hanım görsünler diye getirmişti. Aslında hanım da, cıgara ve hidrojen sülfit kokan bu sefil ortama ancak yigirmi dakika tahammül edebildi. Ardından, mendilini ağzına kapatıp kapıya yönelmiş, atıştırmaya başlayan yağmur sebebiyle, asistanının açtığı şemsiyenin altında, yüzünü buruşturarak otomobiline binmiş, arkasında kendisine hayran bir kitle bırakmıştı.

Bu hâdiselerin cereyan ettiği devirlerde, devletimiz sanatçıları daha bir ciddîye alırdı. O zamanlar üç grup sanatçı vardı. İlki, devletin halktan topladığı parayla Evropa'ya gönderilenlerden ibâretti ki, bunlar için 'takdirnâmeler' tanzim edilirdi. Ama ikinciler daha bir ciddîye alınır, yazdıkları her bir kitap ilgili memurlarca satır satır okunur, haklarında 'fezleke,' 'iddianâme,' 'gerekçeli hüküm' gibi kâğıtlar hazırlanırdı. 'Artist vesikası' verilen üçüncü gruptakiler ise bazı tiyatro kumpanyalarında, daha da acısı pavyonlarda çalışırlardı. Ama yine de pavyonlar o kadar kötü yerler değildi. Çünkü, tuhaf gelecek ama, bir yanıp bir sönen rengârenk neon lambaları, yol iz bilir ve hürmetli fedaîleri, cömert garson ve kadirşinas komileri ile bu tür bir mekâna devam etmek, insan olmanın iki yolundan biriydi! Hakikaten de insanlar iki sınıfa ayrılırdı: Yapanlar ve yaptırtanlar. Para, yaptırtmanın bir yolu idi ve bir kadına kendisine cilve yaptırtmak, bir şarkıcıya şarkı söylettirtmek, bir dansöze göbek dansı yaptırtmak, garsonlara hizmet ettirtmek ve oradakilere kendisine saygı duydurtmak isteyenler, buranın müşterisiydi. İnsan olmanın diğer yolu ise, âşık olmak, şarkı söylemek, dans etmek, kendi işini kendi görmek ve kendine saygı duymaktı. 'İnsanı insan yapan aklıdır' diyen Aristo eğer o pavyona gitseydi, 'parayı koklatanlar da insan yerine konulur' fikrine varabilirdi. Kısacası, hayatlarını para kazanmaya adamış şahısların insan onuruna yaraşır bir şekilde yaşamaları, pavyonda gelen hesap sebebiyle, onlara pahalıya patlıyordu.

O gece Ümmü Gülsüm Kıraathânesi'ndeki ders bitince, hafiften atıştıran yağmurun altında Efgan Bakara, tâ o pavyona, İdris Âmil Efendi Hazretleri'nin tam bir ay bulaşık yıkamaya mecbur tutulduğu sefil mekâna yöneldi. Beyoğlu'nun arka sokaklarındaki pavyon ve gece kulüplerinin mavi yeşil sarı kırmızı neon lambaları yanıp söndükçe, bu enayinin aslında bembeyaz olan suratı da renkten renge giriyor, renkli lambaların neşrettiği ziyâlar, onun kalın gözlük camlarında flaş gibi patlayıp patlayıp sönüyordu. Bir münevvere yaraşmayacak şekilde paltosu ve kaşkolu olmadığından, gecenin soğuğu kemiklerine, hele hele omuriliğine işliyor, belkemiği işte bu yüzden sızım sızım sızıldadığından, sancısı kalçasına vuruyor ve aksaya aksaya yürüyordu. Çiseleyen yağmur, gözlük camlarında boncuk boncuk damlalar bıraktığından ikide bir durup, bir gazete kâğıdı parçasıyla camları kurulama ihtiyacı hissetmekteydi. Enayinin bunca zahmete katlanması, sözüm ona vefakâr olduğundandı. Aklınca, derste anlatılanları, pavyonda bulaşık yıkayan Efendi Hazretlerimiz'e anlatıp ona vefa borcunu ödeyecekti! İşte bu kaşalotzâde, pavyondan girerken, ya tehlikeli ya da paralı şahısları görmeye alışmış fedaîlerin gözüne batmamıştı. İçerisi tıklım tıklımdı! Amma ve lâkin, buranın müşterisi de bir tuhaftı: Bazıları, yabanlık esvap niyetine ikinci elden aldıkları, eprimiş silindir şapka altına, cebinden alengirli altın köstek sarkan bir cepken giymiş, çorapsız ayaklarına da topuklarına basılmış iki renkli kundura geçirmişlerdi. Ancak birkaçının frakları hâlâ sırtındaydı. Gel gör ki bunlar da, epey sıktığından mıdır, pabuçlarını çıkarıp, parmak araları kirli ayacıklarını sandalye üzerine yerleştirmiş, herkes gibi şarkıcı kadını dinliyorlardı. Sahnenin tam üstünde, tıpkı kasabalarda kaymakamın, ahaliye fermânlarını beyan ettiği oparlörlere benzer bir şey vardı ki, işte şarkıcı kadının mikrofona söylediği o güzelim şarkı, bundan öküz böğürtüsü gibi çıkıyor, salonu inim inim inletiyordu. Bu durumu bilen konsomatrisler de, masasında oturdukları kalantorlara bir lâf ettikleri vakit, adam işitmek için kadıncağıza yaklaşmak zorunda kalıyor, nikâhlı olmadığı bir kadına hayatında ilk kez bu kadar fazla yaklaştığı için de çıldır çıldır çıldırıyor ve hanımefendiye bir şişe fiski daha ikram ediyordu. İkram etsin! Çünkü dişinden tırnağından arttırdığı kendi parasıyla yapıyordu bunu. Hem de memleket çocuğuydu. Ama onların günahkâr olduğunu söylemek de zordu: Çünkü, İngiliz lisanındaki tâbirle, bunlar 'parttaym' dindardılar.

Efgan Bakara denilen enayi, hiçbir engelle karşılaşmadan bulaşıkhâneye sızdı. İdris Âmil Hazretleri oradaydı ve doğrusunu söylemek gerekirse, kaşalotzâdenin kendisini o durumda görmesinden pek hazzetmedi! Daha düne kadar Kasımpaşa sokaklarında racon kesen kendisi gibi bir delikanlının, bir ana kuzusunca bu vaziyette yakalanması izzet-i nefsine halel getirdiğinden suratı asılmıştı. İşte oracıkta nefret ediverdi Efgan Bakara'dan. Ama enayi, bulaşık angaryasında ona imdada geldiğini söyleyince, nefreti yine hafifsemeye dönüştü. Hele hele ana kuzusu, eline kıl fırçayı alıp kap kacağı yıkamaya girişince epey şaşırdı. Ama bu pandispanya çocuğu ona, o geceki dersi anlatıp kafa ütülemese daha iyi olacaktı. Fakat çenesi düşmüştü bir kere. Bu kekeme fodulun dediğine bakılırsa, ders bir tuhaf geçmişti. Enayi işte! Koskoca profesör hanımdan memnun kalmamıştı! Çünkü hanım, babasının mesleğiyle gurur duyuyordu ve bu meslek yahut mezhep de dine imana pek uymuyordu. Zira adamın kundura fabrikasında ameleler çalışıyor ve güyâ yaptıklarının karşılığını alıyorlardı. Rahmetli dayısı da bir vakitler aynı fabrikada çalıştığından, işin iç yüzünü biliyordu! Çünkü müteveffa dayısı, oraya girmeden önce bizzât kendi atölyesinde günde altı saat çalışır ve evini geçindirirdi. Ama iflâs ettikten sonra bu hanımın babasına ait fabrikaya amele olarak girmiş ve adamla bizzât konuşmuştu! Enayinin dediğine bakılırsa dayısı, fabrika sahibine, "Ben altı saat çalışıp imalât yapınca insan gibi yaşıyordum. O yüzden senin fabrikanda da altı saat çalışıp insan gibi yaşama niyetindeyim," deyince, hayırsever fabrikatör bunu bir şartla kabul etmiş ve dayıya, "Elbette! Altı saat çalıştıktan sonra ücretini tamamıyla alır ve evine gidersin; ama sen gittikten sonra bir altı saat 'bedava çalışacak birini' bulursan!" demişti. İşte! Bedava çalışan kişiye ancak, köle denirdi. Dolayısıyla günde on iki saat çalışan dayı, ilk altı saat hür, ikinci altı saat köle olmuştu. Hattâ ve hattâ, iki asır evvelki, kölelerini yedirip içirip giydiren köle sahipleri daha da insaflı sayılırlardı. Şimdikiler tasarruf için bunu da yapmıyorlar, "Git altı saat yemen içmen giyinmen için çalış, sonra gel fabrikama ve bana altı saat boyunca kölelik et!" diyorlardı. Kısacası kadîm efendilerin köleler üzerinde mülkiyet, şimdikilerin ise zilyetlik hakkı vardı. İşte! Allahû Teâlâte'ya teslim olup da günde beş vakit salâha ve felâha davet edilen hür insanların, her öğlen saat bir'de fabrika düdüğü öter ötmez patronlara kölelik etmeye başlamaları galiba dine pek sığmazdı. Zaten her dini bütün kişi 'abdullah,' yani 'Allah'ın kölesi' değil miydi? Herhangi bir 'abdullah'ın bir kölesi, yani bir 'abdulabdullah'ı varsa, köle sahibi bizzât kendisini şirk koşmuş olmayacak mıydı? 'Şirket,' işte buydu! Ama fabrika adama, babasından miras kalmıştı. Enayi ayrıca bir de utanmadan, miras denilen şeyin de yanlış olabileceğini söylüyordu. Yuha! Çünkü Allahû Teâlâ her şeyin hakikî mâlikiydi. Meselâ biri, Allah'ın dağında bayırında çift sürüp ekip biçse, mahsul onun olurdu. Ama Allah gecinden versin, vefat ettiğinde araziyi miras bırakamazdı. Çünkü vefat ettiğine göre, sahipsiz kalan arazi artık var olmayan birine değil, herkese ait olurdu. İşte bu araziyi, sağlığında çoluk çocuğuna da devredemezdi. Çünkü mülkiyet, tıpkı hürriyet gibi, devredilemez ve vazgeçilemez bir haktı. Kaşalotzâde işte bunları söylüyordu, Neûzübillâh!

İdris Âmil Efendimiz Hazretleri baktı ki enayi bulaşıkları tek başına yıkamaya razı, Efgan Bakara'yı kaderiyle başbaşa bırakıp pavyondan sıvıştı. Bir yandan da kıs kıs gülüyordu. Gece yarısından az sonra kendini sokağa attığı vakit, yine o mübârek nidâyı koyuvermişti:

"Hüüüüüüüüüüüüüüüüp! Jjjjjjjjjjjjjjjjt! Nah-ha!"

Hayat onu epey yorduğu için, ertesi gün saat on ikiye doğru uyandı. Vâlidesinin sinide getirdiği kahvaltıyı mideye indirdikten sonra, paçaları ve ağı sökülmüş pantolonunu, yakası kirden kapkara gömleğini ve eskidiği için meşin gibi parlayan ceketini giydi. Az sonra camiye gidecek dedesinin sabah namazını kazâ ettiğini görünce, her fırsatta öyle olduğu gibi, adamcağızın otuz yıl önce diktirdiği paltoyu da sırtına attı. Eşikteki kunduraları ayağına, hasır şapkasını da başına geçirdikten sonra artık sokağa çıkabilir, bilhassa 'çevre yapmak için' Ümmü Gülsüm Kıraathânesi'ne bir uğrayabilirdi. Lâkin oraya vardığında hayal kırıklığına uğradı: Çünkü kurs arkadaşlarından kimseler görünmüyordu. Anlaşılan, beklemek zorundaydı. Ama Allah'tan, önceki günün gazetesi kıraathâne ahalisi okusun diye masanın üzerindeydi. Doğrusu Efendimiz Hazretleri gazeteyi, hakkını vere vere, yani dudaklarını kıpırdata kıpırdata okuyordu. Gel gör ki, bir haber ona epey tesir etmiş olmalıydı, gözleri parladı ve çenesi aşağı sarkıverdi. Çünkü şu ilâna rastlamıştı:

---

## ARTİSLER ARANIYOR
### Sinemaya Kabiliyetli Gençler!
### Fotoğrafınızı Gönderin,
## SİNEMA ARTİS KATALOĞU'nda Basalım!
### Sinemada Yıldız Gibi Parlayın!
### Fotoğraf ve 30 lira basım masrafı için adres:
## Abdülmuttalip Uz
### Kağan Apartımanı girişi, Yeşilçam Sokağı
### Kampanyamız bütün memleket gençlerine açıktır
### *"Sanat altın bileziktir."* (Rene Descartes)

---

İşte bu satırları okur okumaz, İdris Âmil Hazretleri'nin sağ eli böğrüne gidivermişti! Sanki sancı saplanmış gibi kıvrım kıvrım kıvranıyor gibiydi. Suratında bir ıstırap ifadesi vardı. Ama zaman ilerledikçe bu kaybolmaya yüz tuttu ve gözleri parlamaya başladı. Ne iştir ki, eli hâlâ böğründeydi. Daha doğrusu, dedesine ait paltoyu sıkıyor, elini bir türlü kurtaramıyordu. Galiba paltoda, belki de astara gizli bir şey, yahut bir şeyler vardı! Nitekim efendimiz, elini koynuna soktu ve yırtılan bez sesinin ardından, titreyen yumruğunu çıkardı. Avucunu zorla açtığında, tam üç Reşat altını parıldayıverdi! Bu altınlar, dedesinin palto astarına diktiği kendi kefen parasıydı. Sinema artisliğine müracaat için lüzumlu 30 lirayı da pekâlâ karşılardı. Amma ve lâkin, Efendimiz Hazretleri'nin vicdanı sızım sızım sızıldıyordu. O anda, dedeciğine bir mozole yaptırıp üç altının hesabını istikbâlde bu sûretle ödemeye karar verdi. Hem, daha ziyâde kadın kız için olsa da, artislik işini bir nebze de sanat aşkına yapacaktı. Bu da, dedesine kabir yaptırmak gibi ulvî bir gaye sayılırdı. Dolayısıyla ihtiyar, herhalde hakkını Efendimiz'e helâl eder, İdris Âmil Hazretleri de âhirete kul hakkıyla gitmezdi.

Kuyumcuda bozdurduğu altınlar, 33 lira 45 kuruş etti. Efendimiz, Galatasaray Hamamı'nda bir yıkanıp keselendikten sonra, artık yüzüne nur gelmiş sayılabilirdi. Berberde tıraş olmasının akabinde, doğruca Kasımpaşa'daki Brodvey Fotoğrafhânesi'ne gitti. İşte burada, hazır takım elbise, fırfırlı gömlek ve papyon vardı. Fotoğraf makinasının arkasındaki dekorda ise, acemi bir ressamca, bulutlara uzanan gökdelenlerle dolu bir şehir resmedilmişti. Öyle ki, çekilecek fotoğrafı görenler Efendimiz'i, bu şehrin bir hemşerisi zannedeceklerdi. İdris Âmil Hazretleri poz verdi ve flaş patladı. Genç olduğundan dolayı, yirmi kuruş fazladan verip ekspres istediği fotoğrafı iki saat sonra teslim alacaktı. Hayaller kurup vakit geçirmek için tekrar Ümmü Gülsüm Kıraathânesi'ne yollandı. Ocakçı, radyoyu Kahire istasyonuna ayarlamış, Arapça şarkılar dinliyor ve dinletiyordu. Bu musiki, Efendimiz'in yüreğine işledi. Evet! Bir kıza âşıktı, ama onu daha hiç görmemişti! Belki de bu kızı, nasip olursa jön olarak, beyaz perdeden süzecek, bakışlarıyla onu mest meftûn edecekti. Eğer adamdan anlıyor ve işlerini biliyorlarsa, Efendimiz Hazretleri'nin fotoğrafını Sinema Artis Kataloğu'nda görenlerin onun çehresine lâkayt kalmaları gayrı mümkündü. Aynı vaziyet, bu kez beyaz perdede olmak üzere kadın kız için de geçerliydi. Ama Efendimiz Hazretleri, onlar içinden manita olarak kendine sadece birini seçecek ve bu mitraya kul kurban olacaktı. Ayrıca diğerleri, kendisine ne kadar fingirdeyip kıkırdasalar da onlara yüz vermeyecek, hepsinden önemlisi, umut bağlamalarına asla ve asla müsaade etmeyecekti. Çünkü kadın kız hassas yaradılışlı olurdu ve delikanlılığa da ancak bu yaraşırdı. Zaten fotoğrafçı Efendimiz'in sivilcelerini rötuşla gidermişken, gacolar ve mitralar, bu raddede cilâ ve farfarayı kaldıramazlardı. Nitekim İdris Âmil Hazretleri, fotoğrafı Brodvey Fotoğrafhânesi'nden teslim aldıktan sonra, tâ Yeşilçam Sokağı'na giderken, agrandisörden nur misâli akıp kâğıtta tespit edilen çehresinden, daha doğrusu hilyesinden gözlerini ayıramadığı için birkaç kişiye çarpmış ve hayli küfür yemişti. Sûret-i şerîfine baktığı vakit, erkek olduğu hâlde kendisine meftûn olduğuna göre, hanım kısmı kim bilir neler hissederdi! İşte böylece hayalleri onu doğruca Kağan Apartmanı'na götürdü. O esnada hakikatten çok hayal gördüğü için, virâneye döndü dönecek apartmanın kapısı yanında yığılı çöp ve moloz dikkatini çekmemişti. Kontrplak üzerindeki, yanında kapıyı işaret eden bir ok bulunan, yeşil boya ve yıpranmış fırça ile alelacele yazıldığı belli şu ibâreyi görünce yüreği titreyecekti:

## ROYAL ARTİS AJANSI

İçeri girdiğinde, çizgili pijama ve yün fanila giymiş şişman bir adamın, kapı önündeki çöpe atmak üzere elindeki soba küreğiyle koskoca bir fare ölüsü taşıdığını gördü. Artist ajanı demek ki buydu ve adamın ağzında bir de cıgara vardı. Efendimiz Hazretleri'ne eliyle, 'Bekle, geliyorum' demek ister gibi bir işaret yapıp gitti; ve ölü hayvanı attıktan sonra, hakikaten de geri döndü. İşin tuhafı adamın bürosu, apartmanın dairelerinden birinde değil, merdivenin hemen altındaki, kontrplaklarla kapatılmış boşluktaydı. Ama hakkını vermeli, kapıda yine de asma kilit vardı. Adam kilidi açtıktan sonra içeri girdi ve asırlık da olsa küçücük bir kâtip masasının başına geçti. Neylersin ki, tepesinde tavan değil, bir hayli meyilli merdiven vardı. Bu yüzden ensesi soğuk betona değiyor ve adamcağız ikide bir hapşırıyordu. Sandalye yerine bir hamam taburesine oturmuştu. Masasında kâğıt kalem bile vardı. Kısacası, burası ciddî bir müesseseye benziyordu. Bu yüzden Efendimiz, 30 lirayı ve o mübârek sûretinin basıldığı fotoğrafı adama vermekte bir beis görmedi. Gayet temkinli olduğundan, adamın postalamayı vaat ettiği Sinema Artis Kataloğu için kâğıda yazılan adresinin doğruluğunu tekrar tekrar kontrol etti. Nihayet iş tamamdı! Kalbi güm güm çarpa çarpa kendini sokağa attı. Heyecandan yerinde duramıyordu. Gerçi hava kararınca o pavyona gidip çalışmak zorundaydı ama olsun! Belki Efgan Bakara enayisi gelir de bulaşıkları onun yerine yıkar, müşteri gittikten sonra da etrafı yine o siler süpürürdü. Ne de olsa talihi yâver gidiyordu. İstiklâl Caddesi'ne çıkan İdris Âmil Efendimiz, hayli keyiflendiğinden olsa gerek, bir pasajın önünden geçerken yine o mübârek nidâyı koyuverdi:

"Hüüüüüüüüüüüüüüüüp! Jjjjjjjjjjjjjjjt! Nah-ha!"

İşte o gece Ümmü Gülsüm Kıraathânesi'ndeki derse Hoca, talebeler görsün, dinlesin de örnek alsın diye, şöhret yolunda mehter neferlerinin emin adımlarıyla ilerleyen gençten bir romancıyı getirmişti. Mahiyeti müellif, keyfiyeti yarımdan az fazla, lâkin hüviyeti epey çoktu. Françe'de bir iki sene tahsil görmüş ve bu esnada o diyârın pasaportunu edinmek için epey mücadele vermişti. Zaten soranlara, o memleketteki karakoldan yalvar yakar aldığı ikamet iznini göstermeyi tercih ediyor, olmadı, artık yürürlükten kalkmış talebe kartını tebliğ ediyordu. Resmî hüviyetindeki hilâl olmasa, onun yanındaki yıldız gibi parlayacağından emindi. Ama ruhî hüviyetinde fazlaca eksik gedik olduğundan, korktuğu boşluğu, kılığına vurduğu yamalarla kapatmayı tercih etmişti. Meselâ, ne olur ne olmaz, omzunda dâima bir çanta asılı olurdu ki, içinde ayna, tarak, kitaplar, defterler, üç ayrı renk kalem ve benzeri cins cins kırtasiye malzemesi, elma, bazı mide ilâçları, pipo çakmağı ve yedek pipo gibi ıvır zıvır bulunurdu. Sırtında, yıpranmış da olsa hâlâ şık bir deve tüyü palto, başında ise hafiften yana yatırdığı afili bir bere vardı. Her hâlinden, gaipten haber veren derin bir romancı olduğu belliydi. Derindi, çünkü zirvede değildi. Ona güldükleri için sadece zeki ve nüktedan insanlara gülümseyen hakikati, bu romancı, o kendisine ve kendisi de ona surat astığı için öldürmüş ve onun ölü kadar ağır kopyasını, tabut kadar ağır üslûbuna sığdırdıktan sonra kazdığı depderin mezara da roman demişti. Gülümseyen hakikati ancak, uçurumun dibindeki bir kör fare kadar görebildiği için olsa gerek, zirvesinden onun bulunduğu derinliklere bakan ve avını seçme hürriyetine sahip tok kartalın hedefiydi. Herhalde 'derin' kelimesinin karşıtının 'zirve' değil, 'satıh' olduğunu zannediyordu. Belki de iyi ve kötü edebiyat arasındaki fark, Olimpos'un zirvesindeki on iki neşeli ilâh ve ilâhenin kusursuz güzellikteki heykelleri ile, Kudüs'ün Hinnom Vadisi'nin derinindeki zavallı ve me'yûs cesetler arasındaki farktı. Galiba zirvede, hakikatle dalga geçen sevinçli ve kayıtsız ilâhlar, çukurların derinliklerinde ise, tuttuklarını bilip, yakaladıklarını belleyen kör ve topal peygamberimsiler vardı. Saf güzelliğin derin olması şartı palavraydı! Gerçekten de o sene Dünya Güzeli seçilen hanımefendi, derin bir şahsiyet olsa gerekti. Öte yandan bir Rols Roys güzel otomobildi, ama onun derin olduğunu söylemek akl-ı selîm sahibi bir şahsa yaraşmazdı. Çiçekler, kelebekler ve ressam Sezan'ın elmalarından herhangi biri acaba derin miydiler? Fakat Roden'in "Düşünen Adam" adlı heykeli, on yıllardır düşündüğüne bakılırsa hem derinliğin, bu müddet zarfında kafasındaki meseleyi bir türlü hâlledemediği için de aptallığın timsâli olmalıydı. Bilgeliğin timsâli ise olsa olsa, yüzünde o alaycı ve neşeli gülüşle, feylesof Volter'in büstü olabilirdi. Lâkin derin şahsiyetlerin haklarını yememeli! Medeniyet tarihi, derin elektrik mühendisleri, derin nöroşirurji profesörleri, derin makina tasarımcıları, derin ilâç mucitleri, Atlantik'i geçen derin tayyâre pilotları, derin kutup kâşifleri, derin ağır sıklet boksörler ve derin maratoncularla doluydu.

Ama hakkını yememeli! Bu romancı, hem edebiyatçının ve hem de edebî eserin hafif değil, oturaklı ve ağır olması gerektiğini haklı olarak beyan ediyordu. Gerçekten de o hovarda, o kaprisli Zeus hafif bir ilâhtı ve edebî değildi. Hafifmeşrep Nimfeler ile o kaba saba Pan da öyleydi. Ama Yahova, ağır ve şakası olmayan bir ilâhtı ve onun ciddîye alınması icap ederdi. Nitekim ikincisi hakkında kitaplar bile vardı ve takipçileri hakikî birer münevver yahut feylesof olmalıydı. Musikide ise asık suratlı Salieri'nin besteleri ağır, Mozart denilen zibidininkilerse hafifti. Galiba ağır ile hafif mefhûmları ve bakkal terazisi kullanarak eser tahlili yapmak doğruydu. Fakat darası alınıp tartıldıktan sonra, ağır denilen eserlerden geriye pek bir şey kalmıyor gibiydi. Belki bu tür eserlerden hoşlananlara, halterci okur demek doğru olurdu. Bunlar, ağırlığından dolayı hayran oldukları eserle birlikte, yine ağır ve tombul muharriri de, şakaklarından damarlar fırlayana kadar ve kan ter içinde kaldırmayı, hele hele Kuasimodo'nun kamburundan farkı olmayan bu şahsı, haklı olarak takdir etmek için kendi sırtlarına almayı başarı addederlerdi. Acı çekmenin erdem sayıldığı cemiyette ağır insanlar, pek de yerinde olarak, kahkahalar atıp eğlenen hafif züppeleri sevmeyeceklerdi.

Evet! Yine de hakkını yememeli! En azından bu romancının sakalı muntazamdı. Zaten romanının da muntazam olduğunu söylemek yerinde olurdu. Esasında, ekstremiteleri güdük kalmış tıknaz romanlardan hoşlanan memleket okuyucusunun bütünlük saplantısı onda da olduğu için, tombul toparlak bir roman kaleme almış, imlâ hatası ve düşük cümleye rastlanmayan, do majör tonda ve arızasız, bekar ve hadım notalardan kurulu bir marşa adım uyduran askerin çaktığı selâm kadar nizâmî eserini yayımlamaya da muvaffak olmuştu. Edebiyatla değil, resimle uğraşıyor olsa, perspektif kaidelerini de çiğnemez, ortaya makina ressamının eseri gibi bir şâheser çıkarırdı. Zaten romanındaki dil de, bir lokomotifin buhar makinası gibi işliyor, ne var ki bu lokomotif, Sibirya ekspresinin bomboş vagonlarını dümdüz bir hat üzerinde Pasifik'e doğru bîtâp ve pasif bir hâlde ıhlaya poflaya çekerken, sadece civardaki öküzlerin nazar-ı dikkatini celbediyordu. Yine de hakkını vermeli! Kullandığı dil, saat gibi işliyordu. Ancak, saati yapan o olmasına rağmen, diğer hepsinde olduğu gibi, kuran kişi Don Kişot'un muharririydi. Galiba gün gelecek, bütün saatler duracaktı. Eğer esen ilhâm rüzgârı, romancıların kafasındaki değirmen taşını döndüremiyorsa, bu dev şahsiyetlere bir deli şövalyenin hücum etmesi gerekebilirdi. "Taş devri, taşlar tükendiği için bitmedi," diyen o bilge Arap'ın sözü doğruysa belki hakikî edebiyat, romancıların geleceğe kalsın diye taştan yonttukları eserlerinin ayaklar altına döşenmesiyle açılan Arnavut kaldırımından, sendeleye sendeleye ilerleyecekti.

Yine de haddi hududu bilmek lâzımdı! Talebelere bu romancı, sanki hiç öfkelenip küfürleri basmamış, âşık olduğu kadına göz yaşları içinde hiç yalvar yakar olmamış, sarhoş olup hiç nâra atmamış, kaybettiği bir yakını ardından hüngür hüngür hiç ağlamamış, kavuşunca kahkahalarla hiç gülmemiş gibi, daha da kötüsü, böyle insanları hiç mi hiç tanımamış ve âdeta hiçe saymış gibi, ağdalı değil, sade bir dili tercih ettiğini söylüyordu. Ona göre romandaki dil, öğle paydosu geldi mi diye saate bir baktıktan sonra, hâkim veya hekimin esneyerek, "İdam cezasına çarptırıldın..." yahut, "Çocuğun ameliyatta öldü..." sözleri kadar sade ve sakin olmalıydı. Ama galiba bunlar pek de o kadar sıcak ifadeler değildi. Anlaşılan o ki romancı, içinde bir ateş hissedemiyordu. Belki benzerleri gibi henüz, ateşi bile keşfedememişti. Galiba zihnî gıdası, kanlı bir biftek kadar çiğ olduğu için ham ve sade yazmak zorundaydı. Ama ağdalı bir üslûp, onun gibi kılları edebiyat dünyasından yolup atabilirdi. Evet! Herhalde yeni bir devir başlamıştı: Bâd-el asrî denilen devir, belki de edebiyatın bronz devriydi. Tunç baltalı barbarlar taştan tanrıları parçalıyordu.

İşte derin romancının, ilme irfana ve şatafata aç talebelere, hayat, ölüm, intihar, yalnızlık ve bunalım gibi afili fiyakalı hususlarda ders anlattığı o gece, yağmur yağar, dolu boşanır, gök gürler ve şimşek çakarken, Ümmü Gülsüm Kıraathânesi'nden fazlaca uzak olmayan mezbelelik bir yerde, yani Beyoğlu'nun arka sokaklarından birinde, Efendimiz Hazretleri'nin nidâsı, binaların sıvaları dökülmüş duvarlarında çın çın çınlamıştı:

"Hüüüüüüüüüüüüüüüüp! Jjjjjjjjjjjjjjjt! Nah-ha!"

İdris Âmil Hazretleri'nin ağzı kulaklarına varmış, gözleri sevinçten parıl parıl parlar olmuştu; çünkü polis, sık sık olduğu gibi, pavyonu o gece de mühürlediğinden angaryadan kurtulmuş bulunmaktaydı. Gecenin o saati Kasımpaşa'ya doğru giderken, neşesi ziyâde olduğundan olsa gerek, çöp dolu zeytinyağı ve margarin tenekelerini birer birer bambur gümbür tekmeliyordu. Keyfi gıcırdı doğrusu. Ancak uykusu sevincinden daha süratle arttığı için bir yandan da gözlerini ovuş-turmaktaydı. Nihayet evine vardığında uykusu muzaffer ol-muştu. Elbiselerini çıkardıktan sonra, o mavi çizgili pijama-sını bile giymeden kendini yer yatağına attı ve yorganı çek-ti. Dersini kaçırdığı romancının eseri kadar derin bir uykuya daldı. Dinen haram olan şaraptan içmemişti ama, belki ede-bî bir derinlik sarhoşluğundan dolayı uykusunda şeytan onu aldattı. Zaten çarşafı bu tür lekeler yüzünden hemen her haf-ta yıkanıyordu. Ertesi sabah vâlide ve pederi tarafından çar-şaf üzerinde görülecek yeni iz, Efendimiz Hazretleri'nin artık evlendirilmesi gerektiğini müjdelemekteydi. Çünkü vâlidesi, "Vah! Vah! Yazık İdris'ime! Ne çileler çekiyordur kim bilir!" diye gün boyu hayıflandı ve nasiplerin dağıtıldığı akşam eza-nından sonra, konu komşuyu bir bir dolaşıp onlardan evlâdı-na bir kısmet bulmalarını istirhâm etti. Üstelik, evlâdının mü-rüvvetini görmek için bir de horoz adamış, hattâ düğünde ke-silmek üzere, hemen ertesi sabah hayvanı satın alıp bahçeye kapatmıştı. Bu horoz gece boyunca her on dakikada bir ötüp mahalleyi ayağa kaldıracak, uyuyamayan komşular buna artık illâllah diyecek, hayvan ise canı pahasına da olsa, çığırt-kanlıktan çok Efendimiz'in çöpçatanlığını yapacaktı.

Olur şey değil! Galiba İdris Âmil Efendimiz Hazretle-ri'nin kısmeti açılmıştı! Çünkü kapıyı çalan postacı o sabah, Efendimiz'in vâlîdesine ödemeli bir paket teslim etmişti. İd-ris Âmil Hazretleri henüz uyuyor, muhtemelen yine pembe düşler görüyordu. Ama uyanıp da paketi açtıktan sonra ken-disine yollanan kataloğu görünce artık tozpembe bir düşe dalacaktı. Kataloğun başlığı şöyleydi:

## SİNEMA ARTİS KATALOĞU

Artist ajansının sahibi helâl süt emmiş bir zât çıkmış ve gerçekten de memleketin bütün kasabaları, nâhiyeleri ve mezralarındaki, sanata hevesli afili aynalı delikanlılar ve âbilerce, 30 lira mukabilinde yayımlanması için kendisine gönderilmiş vesikalık fotoğrafların tekmilini bastırmıştı. Doğrusunu söylemek gerekirse, istikbâli parlak ve kıçı yuvarlak bu lâçolar, her ne kadar sivilceleri, iri burun delikleri ve topografyaları fotoğrafçı tarafından rötuşlansa da, fiyakalarından fazla bir şey kaybetmiş sayılmazlardı. Bir kere, hemen hepsi tâ baştan, hakikî birer karakter oyuncusu olmaya adaydı. Çünkü artist kataloğu, Hiyeronimuş Boş'un "Karakterler" adlı o muhteşem tablosunu andırıyordu. Fotoğraf gönderen delikanlılardan bazıları, sinemacıları etkilemek için kafasına bir Arap kefiyesi geçirmiş, diğer bazıları da kâh av tüfengiyle, kâh pilot gözlüğüyle poz vermişti. Boks eldiveniyle ve telsiz kulaklığıyla fotoğraf çektiren yaldızcılar yanında, güneş gözlüğü, hattâ askerî gaz maskesi takmış olan farfaralar bile vardı. Ama yine de çoğunluk, telefon ahizesi kulaklarında olduğu hâlde konuşur gibi yapıp poz kesmişlerdi. Kısacası sükse, rüzgâr, cafcaf ve cilâ, katalog boyunca sürüp gidiyordu. 100 sayfalık kataloğun her bir sayfasında 30 fotoğraf olduğu için bu sanatçıların çehreleri az buçuk zor seçiliyordu. İşte bu yüzden İdris Âmil Hazretleri, katalogtaki onca kişi arasında kendisine benzeyen birini anca ertesi günün gece yarısına doğru bulabilmişti. Evet! Matbaacının kabiliyetsizliği ve ajansın katalog maliyetini azaltma gayreti sebebiyle, mürekkebi eline bulaşan resminin altında Efendimiz'in ismi yazıyordu! Ve hiç şüphe yok ki, hem bir şâire ve hem de bir artise ait bu muhteşem isim, Kasımpaşa'nın yazlık sinemalarında beyaz perdeye yansıdığı vakit, kadın kız hayranlık çığlıkları atacak ve kocakarılar bayılacaktı.

Ne var ki, işin kötüsü, İdris Âmil Hazretleri'nin vâlidesi onu evlenmesi için sıkıştırıyor, eğer mürüvvetini görmeden ölüp giderse sütünü helâl etmeyeceğini, âhirette iki elinin yakasında olacağını ikide bir tekrarlayıp Efendimiz'i canından bezdiriyordu. Ancak İdris Âmil Hazretleri artık, hayatını bir kez, sinemasıyla ve edebiyatıyla, tamamen sanata adamıştı. Bununla birlikte kul kurduğu ve kader de güldüğü, hele hele Efendimiz'in evlenmesi için vâlidesi tarafından adanıp da bahçeye kapatılan horoz durup dinlenmeden öttüğü için olsa gerek, işler yolundan rayından sapar gibi olmuştu. Suç, horozdaydı. Hayvancağız fazlaca bağırmış olmalı ki, Efendimiz Hazretleri'nin mübârek ensesini ertesi gün, bir umûmhâne peçetecisinin kafasını avuçladı mı çatır çatır çatırdatacak kadar cesîm ve dehşetengiz bir pehlivan pençesi kavradı. Kabadayı ona şöyle diyordu:

"Dua et kısmetin açıldı! Mahallede bekâr istemeyiz, yoksa kadına kıza sarkarsın! Yarma İskender Âbimiz seni evlendirecek. Şân olsun diye de düğününü o yapacak. Şimdi zıpla da kıraathâneye git, Âbimiz'in vekilini gör, sana malûmat versin! Yallah!"

Daha önce dendiği gibi, o vakitler biri Üsküdar'da ve diğeri de Kasımpaşa'da olmak üzere iki külhânbeyi vardı. Anadolu ve Rumeli Külhânbeyleri, gayrı resmî olarak emniyet müdürü beyefendiye tâbî idiler. Bunların birbirlerinin mahallerine sokulmaları, kan ve çıngar çıkmasın diye yasaklanmıştı. Gel gör ki bu, iki tarafın da işine gelmiyordu. Çünkü birinciler Abanoz Sokağı'nı ve Galata meyhânelerini, ikinciler de Karacaahmet'i ve türbeleri ziyâret edemiyorlardı. Sözün kısası, sulh zamanı gelmişti. Ancak, tarihteki hânedânlarda olduğu gibi, iki cemaati birleştirecek, âdeta birbirlerine hısım akraba kılacak bir evliliğin gerçekleşmesi icap etmekteydi. Yarma İskender gibi cezaevinde yatan Anadolu Külhânbeyi Remiz, ikiz kız kardeşi Remziye'yi karşı taraftan helâl süt emmiş biriyle evlendirmek istiyordu. Kocakarıların övgü dolu lakırdılarına bakılırsa, bu âhû misâli genç kız, epey dindar âbisi tarafından, belki de nazar değmesin diye kara çarşafa kapatılmıştı. Zaten o güne kadar hiçbir şahıs korkudan, bu kızcağızı Allah'ın emri ve Peygamber'in de kavliyle cezaevine gidip Remiz'den isteyememişti. Çünkü namusuna ziyâdesiyle düşkün olan Anadolu Külhânbeyi, hem belediye hem imam nikâhı kıyılsa bile, kız kardeşini elin oğluyla bir odaya kapatacak tıynette biri değildi. İşte bu nedenle, kendisine yan baktı diye bir zavallıyı tam yirmi yerinden bıçakladıktan sonra alt tarafı yedi sene cezaevinde yatmış bir kocakarıyı, tâbiri câizse bir yengeyi de oğlan evine gönderecekti. Yenge, yetmiş beş yaşındaydı ve koynunda dâima bir gaddâre, dudağının ucunda da her zaman bir sarma cıgara olurdu. Cuma akşamları içtiği boğma rakı ise ona, Remiz tarafından gönderilirdi. Kadının bundan sonraki vazifesi, gerdek gecesinden itibâren her gün, Efendimiz, hâşâ, zevcesine sarkıntılık ederse ona haddini bildirmek olacaktı.

Bundan sonra hâdiseler fırtına hızıyla gelişti. Hattâ öyle ki, İdris Âmil Hazretleri'nin, hâşâ, uçkur çözüp nişanlısı Remziye'yi gebe bıraktığı, işte bu yüzden nikâhın bir an önce tahakkuk etmesi icap ettiği dedikoduları bile çıkmıştı. Efendimiz'in bütün hayalleri yıkılmış gitmişti! İşin kötüsü, yalnızca sinema ve şiire değil, hayata da elvedâ deme tehlikesiyle karşı karşıyaydı: Namuslu nişanlısını gebe bıraktığı dedikoduları çıktığından bu yana, onu koruması için koca avuçlu kabadayıyı da yanına muhâfız olarak vermişlerdi. Adam, Efendimiz'in evinin kapısı önünde sabaha kadar gözünü kırpmadan nöbet beklediğine göre, Yarma İskender'e hayli sâdık olsa gerekti. Ama işte! Efendimiz Hazretleri, bir gece yarısından sonra kapıdan, "Iıhhh!" diye bir nidâ, ardından da "Zınnnk!" diye bir seda işitmiş, elinde idare lambası sokak kapısını açtığında, bu muhâfızı kanlar içinde yerde kıvranır görmüştü! Kapıya ise, kabadayının karnına dört kez sokulan gaddâre, epey kudretli bir kol tarafından neredeyse ortasına kadar saplanmış durumdaydı ve darbenin şiddetiyle hâlâ zıngır zıngır titriyordu. Bu manzarayı görünce Efendimiz, gayet tabiî ve insanî olarak bütün kasları gevşediğinden dizleri eli ayağı da çözüldüğü için oracığa çöküvermiş, önden şırıl şırıl ve arkadan da patır patır altına doldurmuş; ayrıca insanlık hâli, kan tuttuğundan olsa gerek, üstten de istifrâğ edip gece yediği fasulye ve pilavı öğürüp çıkarmaktan kendini alamamıştı. Ayrıca azimle saplanıp kapıyı delen gaddâreye, bir de esrarengiz pusula iliştirilmişti ki, kâğıtta tükenmez kalemle, "Namusumuzu kirleten ırz düşmanlarının önce kapısını deler geçeriz!" ibâresi yazılıydı. Ama Yarma İskender misilleme yapmadı. Çünkü ne de olsa, kız tarafı naz tarafıydı. Kızcağızın namusuna halel gelmemesi için nihayet iki gün sonra, Babalar Kıraathânesi'nden arkalarından bir kova su dökülerek uğurlanan kabadayılar heyeti, aralarında Efendimiz de olduğu hâlde vapurla karşıya geçip, Remiz'in karargâhı olan Kapitol Kıraathânesi'ne vardıklarında, çoktan birtakım şâyialar çıkmıştı bile. Ama artık geri dönmek olmazdı, çünkü kızcağıza lâf gelirdi ve bu da delikanlılığa hiç sığmazdı. Bu vaziyet İdris Âmil Efendimiz'in hiç de hoşuna gitmiyordu ama, yeraltı âleminin kanunları, tabiat kanunlarından bile kesindi! Zaten nihayetinde kan akacağı belliydi: Bu kan, ya Efendimiz'in vâlidesi tarafından adak niyetiyle alınan horozun ya da bizzât Efendimiz'in kanı olacaktı. Aslında İdris Âmil Hazretleri, ayaktakımının keyfi, yani dünya ve âhiret için ziyâret etmeleri gereken mahaller için kurban seçilmiş gibiydi. Bu nedenle asıl adak oydu. Hattâ değil kurban, şehit bile sayılabilirdi. Çehresi de gitgide, Aziz Anton'u andırmaya başlamıştı. Fakat bu işin bazı getirileri de yok değildi. Zaten Yarma İskender, pavyonda kırılan fiski şişesinin bedelini ödemek bir yana, İdris Âmil Efendimiz Hazretleri için, bir türlü giymesi kısmet olmayan kendi damatlığını göndermişti. Ancak nikâhtan bir gün önce ağlaya sızlaya bu kıyafeti kuşanan Efendimiz, ceketin yenlerinin ellerinin ucundan sarktığını, pantolonun paçalarının ise tâ yerlere vardığını görmüştü. Olsun! Nihayet, Şarkî Rum Pâyıtahtı'nın silme ayaktakımının hazır bulunduğu nikâh salonunda müstakbel zevcesini gördüğü vakit, hanımın kendisinden iki baş miktarı uzun ve üç beden geniş olduğunu da fark etmişti. Olsun! Üstelik hanımefendinin sesi, bir kontrbasınki kadar pesti! Olsun! Olmalıydı, çünkü bütün bu seremoni, Yarma İskender'in fermânı icâbıydı. İşin kötüsü Remiz, cezaevinden izin alıp nikâha gelmişti. Sonunda olan oldu ve insafsız belediye memuru, eli satırlı bir kasap gibi onların nikâhını kıydı. İdris Âmil Efendimiz, daha önce hiç görmediği zevcesinin duvağını açar açmaz, hanımefendinin çehresi kanını donduruverdi: Anadolu Külhânbeyi Remiz'in ikiz kız kardeşi, aynı kalın ve bitişik kaşları, aynı iri dişleri, aynı kalın dudakları ve seyrekçe olsa da aynı bıyığıyla Remiz'in duvak giymiş hâliydi. Böylece söylentilerin hakikat payı taşıdığı anlaşıldı: Denildiğine göre Remiz, ikizi olan bu hisar gibi kadını Rumeli'ye dikecek ve kendisi de Anadolu'da iken, haraca keseceği bütün mahalleleriyle Şarkî Rum diyârının hâkimi sıfatıyla, 'Boğazkesen' lâkabına ve unvanına nail olacaktı. Yaşadığı zorluklara ve meşakkatli gençliğine bakılırsa, belki de adam bunu hakkediyordu: Çünkü o ve kız kardeşi anasız babasız büyümüştü. Hattâ ifrâta varan bir şâiyaya kulak asmak gerekirse, hem Remiz'i ve hem de Remziye'yi, dişi bir sokak köpeği emzirmişti.

Nikâhı müteâkip gelin ve damat, sekiz silindirli, kıpkırmızı, önünde imal edildiği fabrikanın arması parıldadığı ve arkasında ise koskoca iki gösterişli kuyruk bulunan o muhteşem otomobile bindirildi. Bu vâsıta, renk renk sunî çiçekler, yaldızlı püsküller, renkli kâğıt şeritler ve pembe mavi kurdelelerle süslenmişti. Hattâ resmî kıyafetli bir özel şoförü bile vardı. Adam, afili bir ceketi olmasına rağmen, şoför şapkası bulunamadığından başına idareten bir seyyâr piyango bileti satıcısının şapkasını geçirmişti. İyi şoför olmasına rağmen kunduralarıyla gaza ve frene basamadığından, otomobili de yalınayak kullanıyordu. Nikâh salonundan çıkan ve sayıları yetmişi aşan diğer misafirler, geri kalan sekiz külüstür otomobile tıkıştılar. Bazıları ise, en arkadaki, oğlan tarafınca yaptırılmış devâsâ düğün pastasını taşıyan kamyonete binmeyi daha münasip gördü. Çok geçmeden kontak anahtarları çevrildi, birkaç egsoz patlayıverdi, marşı basmayan iki otomobil takım elbiseli misafirlerce ittirildi. Nihayet akşamüstü herkes, Haliç kıyısındaki Yalçınozan Düğün Salonu'nun önüne varmıştı. İçeriden, orkestra ve şarkıcı için kurulan lambalı ses cihazlarının son muayeneleri yapılıyor ve bir vazifeli, mikrofona, "Se!... Se!... Ses!... Bir-ki!... Se!..." diye fısıldarken elektrikî cihazlardan geçen bu seda gürleşip salonu inletiyor, ara sıra iki dev oparlör ıslığımsı sedalarla çınladı mı düğmeler çevriliyor ve butonlara basılıyordu. Ağaç direklerle duran sahnede, alafranga musiki icrâ eden, biri elektrikî diğeri ise pes kitara çalan uzunca saçlı ama bıyıklı iki âsi genç, aynı zamanda trampet ve zil de çalan, yine bıyıklı bir davulcu ve bir de halîm selîm, ihtiyar piyanist vardı. Bıyığı çenesinden aşağı sarkan uzun saçlı şarkıcı ise mesleği icâbı, pırıl pırıl parlasın da göz alıcı olsun diye, elbisesini galiba soba boyasıyla boyamıştı. Öyle ki, adam hareket ettikçe boya, ara sıra pul pul dökülüyordu. Dokunaklı memleket musikisi, işte bu adamın işaretiyle başlatıldı ve o da, pes sesiyle, kaderci mi yoksa âsi mi, kederli mi yoksa umutlu mu olduğu anlaşılması hayli zor bir türkü tutturdu. Musiki bütün salona tesir etmişti. Kurulan sofralara yerleşmeden önce misafirler tokalaşıyor, yaktıkları canlar için gözlerinde yaşlarla birbirlerinden af niyâz ediyorlardı. Remiz ise, cezaevinde olan Yarma İskender'i hafifseyerek, kodesten izinli çıkmasını sağlayan tanıdıklarının sayısı ve forsuyla övünmekteydi.

Kasılıp kabardığı bir diğer husus da, çevresinde etten duvar örüp o geceki düğünde kendisini muhtemel bir suikasttan koruyacak zebellâ gibi fedaîlerinin çokluğuydu. Gerçekten de adama kurşun sıkmak imkânsız gibiydi. Fakat Remiz, cancağızı çektiğinden olsa gerek, tam o devâsâ düğün pastasına yaklaşıp bir parmak krema alarak ağzına götürmüştü ki, beklenmedik bir hâdise cereyan ediverdi!

Dev düğün pastasının içinden ansızın, ağzında kamışla bir karakılçık herif fırlayıverdi ve Remiz'i tuttuğu gibi yine pastanın içine çekti!

Şekilden şekile giren düğün pastasından hırıltılar ve boğuşma sesleri geliyordu. Remiz'in tabancalarını çeken fedaîleri efendilerini vurmaya korktukları için önce pastaya ateş edemediler. Ardından dev pastaya kollarını sokup Remiz'i kurtarmaya çalıştılar. İşte bu sırada o karakılçık herif, vazifesi bittiğinden olsa gerek, yine pastadan dışarı fırladı ve arkasından patlatılan tabancalara aldırmadan bir koşu kapıdan dışarı sıvışıp sırra kadem bastı. O esnada iki fedaî Remiz'i ayaklarından yakalamış, pastadan dışarı çekiyorlardı. Ama nafileydi. Çünkü Anadolu Külhânbeyi Remiz'in ciğerleri kremayla dolmuş ve adamcağız düğün pastası içinde boğulmuştu. Derken ortalığa bir sessizlik çöktü. Parmaklar tam tetiklere gidiyordu ki, Kasımpaşalı ihtiyar bir kabadayının sesi işitildi:

"Remiz öldü! Ey siz Üsküdarlı yoldaşlarımız! Remiz öldüğüne göre onun halefi artık, damadı İdris Âmil'dir. Racon bunu gerektirir. O artık sizin sadece enişteniz değil, dayınız ve hattâ babanızdır! Üsküdar'da bundan sonra onun lâfı dinlenecek ve racona uymayanın künyesi, İdris Âmil Babanız tarafından delikanlılık, mertlik ve dayılık defterinden silinecektir. Böyle bilesiniz. Aksini yaparsanız şerefiniz iki paralık olur!"

Ama Remiz'in fedaîlerinin ağızları öfkeden köpük içindeydi. Hınçları o kadar fazlaydı ki, tabancalarıyla değil, öfkeden kudurmuş birer kurt gibi dişleri ve gazâba gelmiş ayılar misâli pençeleriyle Kasımpaşalılara saldırdılar. Bu sırada merhumun kız kardeşi Remziye, İdris Âmil Hazretleri'nin mübârek suratına okkalı bir şaplak şaplatıp salonda çınlattı. Tabancaların pat pat patladığı düğün salonundan Üsküdarlılar birer ikişer kaçmaya başlayıp son vapura yetişmeye çalışırlarken, az önceki konuşmayı yapan ihtiyar Kasımpaşalı kabadayı, Efendimiz'e bağırmaktaydı:

"Behey deyyûs! Yengemiz kaçıyor! Sakın bırakma! Bırakırsan onla bunla düşüp kalkar, biz Kasımpaşalılara lâf gelir!"

Ama rahmetli Remiz'in kız kardeşinin yanına muhâfız verdiği acûze, koynundan gaddâresini çıkarıp Kasımpaşalı ihtiyar kabadayının böğrüne saplayınca adamcağız ıhlayarak yere yığılıverdi. Ara sıra büyük sözü dinlemeye alışık İdris Âmil Hazretleri ise, hanımı kaçmasın diye onun bileğine yapıştığı anda, azman kadın, Efendimiz'i kaldırdığı gibi dağılmış düğün pastasının tam ortasına doğru fırlattı. O kadar süratle ve kudretle fırlatmıştı ki, pastadaki onca krema "Şlaaap!" diye, koskoca salonun dört bir yanına saçılıverdi.

Düğün işte böyle bitmişti.

Şafak sökmeden önce hamama gidip keselenmesine rağmen üstü başı hâlâ vanilya kokan İdris Âmil Hazretleri, kafasında o hasır şapkası, sırtında dedesine ait paltosu ve ayağında kocaman kunduraları olduğu hâlde Sarayburnu'nda gözyaşı döküyordu. Çünkü artık hamam anası misâli bir zevcesi vardı ve bundan böyle kadına kıza bakıp göz koyması ayıp kaçardı. Hâl böyle olunca da, ne şiirin ne de sinemanın bir mânâsı olacaktı. Evliliğiyle birlikte sanat hayatı artık bitmiş, edebiyat ve sinema camiası, bir kabiliyeti kaybetmişti. Daha da kötüsü, anlatılanlara bakılırsa, zevcesi Remziye Üsküdar'ın yeraltı adamlarını yeniden örgütlemiş ve hem âbisi katledildiği, hem de namusu kirletildiği için intikam almaya ant içmişti. Evet! Üsküdar kabadayılarının şefi artık Remziye idi ve kadına daha şimdiden 'Külhânbegümü' lâkabı yahut unvanını lâyık görmüşlerdi. Fakat işin daha da kötüsü, düğünden kaçan zevcesinin kim bilir kimlerle düşüp kalktığı yollu dedikodular bir yana, Remziye Üsküdar'daki çetenin müdireliğini üstlendiği için, deyyûsluğu yanında, İdris Âmil Hazretleri karısını çalıştıran bir tıynetsiz vaziyetine de düşmüştü. Kısacası, Efendimiz'in keyfi var denemezdi. İştahı da kaçmış olmalıydı ki, akşam eve döndüğünde, vâlidesinin onun everilmesi için adadığı horozu tencerede kaynatılır bulduğunda bu yemeğin kokusu bile onu cezbetmedi. Ertesi gün ve daha sonraki hafta da böyle geçti. Ama o kanlı düğünden beş gün kadar sonra, sokağın başındaki kıraathâneden Efendimiz'i telefona çağırdılar. İdris Âmil Hazretleri bir "Hayrola!" dedikten sonra kıraathâneye koşturmuştu. Ahizeyi eline alıp bir "Alo!" dedikten sonra, rahmetli Remiz'in, kız kardeşi Remziye'nin namusunu koruması için muhâfız tâyin ettiği o gaddâreli acûzenin sesini hemen tanıdı. Acûze, "Müjdemi isterim! Zevcen Remziye doğum yaptı! Nur topu gibi bir oğlun oldu! Gel al!" diyordu.

Vâlidesiyle beraber İdris Âmil Efendimiz, zevcesi Remziye'nin Üsküdar'daki, köşk misâli, üç katlı ama virân ahşap evine vardığında acûze tarafından içeri buyur edilmişti. Yukarıya çıktıklarında Efendimiz Remziye'yi lohusa yatağında gördü. Yatağın yanı başında ise, devâsâ çenesiyle hakikaten korkunç görünüşlü bir adam bekliyordu: Adamın çene hacmi, beyin hacminin iki misli kadardı! Sûretle alay olmaz ama, kafacığı irice bir portakal, çenesi ise karpuz büyüklüğündeydi. Gömleğinin yenlerinden kol kılları, yakasından sırt kılları, paçalarından aşağı da yine kıl fışkırıyordu! Ortadan birleşmiş tam üç parmak enindeki kalın ve gür kara kaşları, tâ şakaklarına kadar uzanmaktaydı. Alnı ise, olsa olsa iki parmak yüksekliğindeydi. Silindirimsi ama kısacık boynu yalı kütüğü kadar kalındı. Medeniyet bunalttığı vakit adam sıkıntıdan esnediğinde, açılan çenesinin ardından tâ gırtlağına kadar uzanan o derin ve karanlık mağarayı görenler, bu koca ağza irice bir tavuğun rahatlıkla sığacağına kalıplarını basabilirlerdi. Alt ve üst çenesindeki o sapsarı ve eğri büğrü dişlerinin her birinin yarım parmak uzunluğunda olduğuna bakılırsa, adam tavuğu, hatır için olmasa da, sırf hayvanî iştahından dolayı çiğ çiğ çatır çutur yiyebilirdi! Upuzun ve enli kolları, dizlerinin az aşağısına kadar uzanmaktaydı. Beline kırmızı bir kasap peştemalı sarılmış ve buna da, indirildi mi adamın kafasını dağıtacak bir sopa geçirilmişti. Ayıptır söylemesi, adam içti mi fena dağıtıyordu. Daha da içti mi dengesini bulmakta zorlandığından, upuzun kolları sayesinde, hem ayakları ve hem de yumrukları üzerinde yürüyüp eve varırdı. Bu adam Remziye'nin baş fedaîsi, namuslu hanımları hedef alan dedikoduculara göre ise, aynı zamanda ilk göz ağrısıydı. Remziye onun yanında cıgara içmeyi yasaklamıştı: Çünkü adam ateşten korkuyor, kibrit çakılır çakılmaz kaçıp emniyetli bir mesafeye vardıktan sonra, alevi korku dolu gözlerle uzaktan seyrediyordu. Haraç konusunda anlaşamadıkları için Remziye'den intikam almak isteyen bir grup zorba, bu adama suikast yapmak amacıyla onu yolda gece vakti otomobillerinin içinde beklemiş, adam karanlık sokağın tâ karşısında görününce de, otomobil farlarını âniden yakmışlardı. Adam far ışığı karşısında tavşan gibi donup kalınca, zorbalar tabancalarıyla otomobilden inmiş ve bu hareketsiz hedefe dakikalar boyu, defalarca ateş etmişlerdi. Otuz kurşundan on yedisi isabet etmesine rağmen adam yaşamıştı! Ayrıca, kaldırıldığı hastanede adama bakan doktor, sırf meraktan dolayı onun kanını tahlil ettiğinde, Rhesüs faktörünün normalin yedi misli olduğunu hayretle görmüştü.

Kendi kanından olan o varlığı, yani zürriyetini sürdürecek olan oğulcuğunu teslim almak üzere, vâlidesiyle birlikte nikâhlı zevcesi Remziye'nin mekânına gelen İdris Âmil Hazretleri'ne pek bir ikramda bulunulmadı. Ama Efendimiz'e verilecek asıl armağan, elbette ki onun asîl kanını taşıyan bebecikti. Nitekim acûze, Efendimiz Hazretleri'ni görünce tiksintiyle başını çeviren Remziye'nin kucağından bebeği aldı ve İdris Âmil Hazretleri'ne uzattı. Efendimiz'in vâlidesi, "Aaaaaa! Erkek çocuk mavi kundağa sarılır! Siz niye siyah kundağa sardınız?" dediğinde, dudağının kenarında külü düştü düşecek kadar uzamış cıgara bulunan acûze de onu, "Bebeğin kundağı mundağı yok! Bebek çıplak, görmüyor musun!" diye terslemişti. İdris Âmil Hazretleri'nin de gözleri yuvalarından uğramıştı! Çünkü Neûzübillâh! Hayli esmer olan bebeciğin gövdesi, kolları ve bacakları, çok fena hâlde kıllıydı, öyle ki bu hâliyle, üşütmemesi için bir kundağa zaten ihtiyaç yoktu. Ama bunda bir beis var denemezdi. Zaten erkeğin kıllısı makbûl sayılırdı. Allah kısmet ederse, bebeciğin ileride babayiğit biri olacağı belliydi. Hattâ oğlanın, Yarma İskender'inkinden bile iri çenesine bakılırsa, Kasımpaşa'nın yeraltı camiasının sözü dinlenir ve eli öpülür simalarından sayılacağı da âşikârdı. Bebeciğin alnı, simsiyah kaşlarının hemen üstünde bitiverdiği için kıskanç komşular, onun dimağ itibâriyle yetersiz olduğunu söyleyebilirlerdi. Gelgelelim, doğalı daha üç gün olmasına rağmen bebecik o kadar büyük bir ilerleme kaydetmişti ki, daha şimdiden, ayakları ve yumruk yaptığı elleriyle emeklemeye bile başlamıştı. Allah'a şükür, bir gelişim bozukluğu da yoktu: Hattâ kocaman ağzındaki dişler bile tamdı. Gücü kuvveti de yerinde sayılırdı. Çünkü Efendimiz'in vâlidesi onu kucağına alır almaz, sanki kan çekmiş de öz be öz babaannesi olduğunu hemen anlamış gibi, upuzun kollarıyla kadıncağızın boynuna, bacaklarıyla da beline sarılıvermiş, vapura binip karşı tarafa, Kasımpaşa'ya varana kadar da bırakmamıştı. İşte o günün gecesi, Efendimiz Hazretleri'nin muhterem pederi, uygun bir merasimle torununa 'Yaşar' ismini verdi.

Gel gör ki, düğün günü cereyan eden hâdiselerden dolayı adamakıllı afalladıkları için o âna kadar Efendimiz'e, deve nalbanda bakar gibi bakıp ona külhânbeyi demekle dememek arasında kararsız kalan yeraltı camiası, gece boyu içip sabah zom kalkan akşamcı sersemliğini peyderpey de olsa üzerinden atmaya muvaffak olmuş, Kasımpaşa'nın Babalar Kıraathânesi'nde toplanan ihtiyarlar meclisi, daha düne kadar acemisi oldukları bu durumu en sonunda tahlil etmişti. Meclisin kararına göre, düğün gecesinde kaçan karısının onla bunla oynaşmasını müsâmaha ile karşılayacak birinin külhânbeyi sayılması racona zıttı. Mâşallah! Gerçi Efendimiz zevcesinden bir bebek peydâhlamayı başarmıştı! İşte, on sekiz yaşına bastığı vakit Üsküdar'da hüküm sürecek olan da şimdiki bu bebek olacaktı, ama İdris Âmil Hazretleri asla! Hem kaçan gelinlerinin elâlemle düşüp kalkmasına göz yumduğu ve hem de kadın hâliyle karısını çete müdiresi olarak çalıştırdığı, dolayısıyla erkeklik haysiyetini artık kaybettiği için, Üsküdar üzerindeki tekmil salâhiyetini, oğlu büyüyüp eli tabanca tutana kadar, Babalar Kıraathânesi'ndeki meclise devredecekti. Bu karar, davullu tellâl bağırtmaktan daha tesirli bir yolla, yani kulaktan kulağa fısıldanması temin edilerek ahaliye tebliğ edilmişti. Selâm bile ağızdan ağıza yamuk gittiği için, meclisin kararını işitmesi gereken en son şahıs, İdris Âmil Efendimiz'in, karısını para için bile değil, sırf zevk için umûmhânede çalıştırdığını, geçimini de aynı umûmhânenin sokağında ona buna avuç aça aça yalvar yakar olup dilenerek sağladığına yürekten inanıyordu.

Allah'ın işi! Efendimiz'in oğlu Yaşar ise nedense pek süratli gelişiyordu. Daha üçüncü gün, zıbınına sığmamaya başlamıştı. Kasaptan alınan kıymayı daha tam pişmemişken mideye indirdiğine bakılırsa hayli iştahlı ve demek ki epey mutluydu. Ne var ki Efendimiz, hâliyle, adamakıllı kederli sayılırdı. Yeisini dağıtmak için olsa gerek, işte günlerden birinde Beyoğlu'na çıkmaya karar vermiş, hebâ olan delikanlılık haysiyeti nedeniyle yolda kendisine bir omuz attıktan sonra dönüp tiksintiyle yere tüküren on dört yaşındaki ergenleri, Efendimiz dolmuş kuyruğunda beklediği sırada onun önüne geçen ve itiraz edilince utanmadan bir de ona posta koyan on yaşındaki veled-i zinâları, artık kendisine reçete yazmayan beş yaşındaki kopilleri geride bırakıp nihayet İstiklâl Caddesi'ne çıkmıştı. Artık siperi yıpranmaya yüz tutmuş hasır şapkası kafasında, dedesinin paltosu da sırtındaydı. Kunduralarını ise çorapsız giymişti. Kasımpaşa'da ona artık bir gelecek olmadığını unutmak istiyordu. Dünya denilen gebergâhtaki en aşağılık insan o olamazdı! Şurası bir hakikatti ki, kendisinden de aşağı biri mutlaka vardı. Ah! Keşke öyle birini bir görse de az buçuk teselli bulsaydı! Efendimiz'in kalbi temizmiş ki, caddede böyle biriyle karşılaştı. Efgan Bakara idi bu! İdris Âmil Hazretleri bu fodulu görünce, yine o mübârek nidâyı koyuvermişti:

"Hüüüüüüüüüüüüüüüp! Jjjjjjjjjjjjjjjt!"

Fodul, bu nidâyı işitince dönüp baktı ve sevinçle koşup Efendimiz'le kucaklaştı. Kaşalotzâdenin dediğine bakılırsa, derslerini epey iyi hâfızladığından olsa gerek, Allah nasip ederse yakında liseyi bitiriyordu. İş bununla da kalmıyordu: Fiski şişesini kırdığı için bir vakitler Efendimiz'in çalışmak zorunda kaldığı pavyonun Diyârbakırlı fedaîleri, gelip bulaşıkları yıkamak sûretiyle onun arkadaşına yardım etmesine kayıtsız kalmamışlar, "Okusun da bizim gibi olmasın!" diye aralarında para toplayıp onu üniversiteye göndermeye karar vermişlerdi. Üstelik Efgan Bakara, gözlük numarası ilerlediği için, çalıştığı gazeteden zam bile almış, bir de altı lira ikramiye koparmıştı. Kısacası, bu fodul bir bakıma voliyi vurmuştu. O kadar sevinçliydi ki, Efendimiz'i kolundan tutmuş, bir yandan işaret parmağıyla gösterdiği gösterişli bir apartmana doğru, anacığıyla tanıştırmak için sürüklüyordu. Altı katlı bir apartmandı burası. Hattâ kapıcısı bile vardı. Efendimiz'in yıpranmış paltosuna ve hasır şapkasına bir baktıktan sonra Efgan Bakara'ya, "Getirme herkesi buraya bir daha! Tekerrür ederse Halûk Bey'e bildiririm, ona göre!" diyen de bu kapıcıydı. Fodul ise ona, "Merak etmeyiniz, arkadaşımdır, bu seferlik göz yumunuz," diye cevap vermişti. Koskoca bir sülâlenin kaldığı apartmanın merdivenlerini kimseyi rahatsız etmemek için usûl usûl çıkan Efgan Bakara'yı takip eden İdris Âmil Hazretleri, çatı katındaki küçücük ve daracık mekâna vardıklarında nefes nefeseydi. Fodul tıklattıktan az sonra kapıyı ihtiyar bir kadıncağız açtı. Hayat onu yormuş gibiydi ama hâlâ güler yüzlüydü. Duruşunda bir asâlet vardı. Sımsıkı kapalı dudaklarına bakılırsa, pek çok şeyi içine atıp yine içinde gizlediği, gönlünde koskoca bir ömür taşıdığı belliydi. Gözlerinden, saklamaya çalıştığı bir endişe okunuyordu. Bu da olsa olsa, evlâdı olan her anneye mahsûs bir his olmalıydı.

Efgan Bakara İdris Âmil Hazretleri'ni kırık dökük bir sandalyeye oturttu. Duvara asılı fotoğraflardaki ataların dedelerin ve ninelerin ceketataylarına ve ipek tuvâletlerine bakılırsa, fodulun ailesi geçmişte herhalde gerçekten de zengindi. Açık pencerenin önünde semaver fokurduyor, fodulun annesi ise bakır bir tepsiye çay fincanlarını diziyordu. Nihayet oğlunun artık bir arkadaşı olduğuna sevindiği her hâlinden belli olan kadıncağız çay servisi yaptı. Onun ve oğlunun fincanları topraktandı, ama şeref misafiri olduğu için Efendimiz'in fincanı porselendi. Üstelik bir tarafı çatlamış da olsa incecik Çin porseleni. Bir asır önce alınan on ikilik takımdan kırıla satıla bir bu fincan kalmıştı. Çayın yanında ikram edilen kurabiyeler ise, Efendimiz'in o güne kadar yediklerinin en lezzetlileriydi. Sol tarafta Efgan Bakara'nın çalışma masası, daha doğrusu tezgâhı vardı. Tezgâhın dayalı olduğu duvardaki havagazı lambası senelerdir yakılmıyordu. Çünkü apartmanın sahibi olan aile, tesisattaki bozukluğu bir türlü tamir ettirmemişler, sonunda da unutup gitmişlerdi. Ama Efgan Bakara ve annesini, gaz masrafına ortak ediyorlardı. Bu nedenle tezgâhta bir idare lambası vardı. Hemen yanında ise, üç objektifli, elden düşme bir mikroskop ile tomar tomar kâğıt ve cilt cilt kitaplar göze çarpıyordu. Tezgâhın sağ tarafındaki ecza dolabı, kimyevî maddeler ihtivâ eden şişelerle doluydu. Dolabın hemen yanında, laboratuvarlarda kullanılan türden bir ispirto ocağı, ağızları mantar tıkaçlı cam tüpler ve Efgan Bakara'nın bizzât imal ettiği bir etüv vardı. Anlaşılan fodul, mikroplarla fazla ilgiliydi. Nitekim mikroskopun yanındaki kâğıtlar, terliksi, amip ve benzeri saçma sapan hayvanın çizimleriyle doluydu. Böylesi bir fodul, müelliflik kursuna niçin gelmiş olabilirdi ki? Efendimiz lâf olsun diye bunu Efgan Bakara'ya sorduğunda yine abes bir cevap almıştı: Fodulun niyeti öyle roman hikâye yazıp meşhur olmak değildi! Bu enayi, hayvanlar âleminden bazı örnekleri herkese anlatacak bir kitap kaleme almak için gelmişti kursa! Yani öyle münevver falan değil, düpedüz inekti! Ama günahını almamak lâzımdı, çünkü fodulun az buçuk mürekkep yalamışlığı vardı. Yine de hakikî bir münevver, içtimaî nizâma biraz olsun karşı çıkmalıydı. Fakat belki, bütün fertleriyle cemiyet nizâmı, hazır Efgan Bakara gibi birine zaten karşı olduğu için, kalkıp bir de kendisinin, cemiyete ve onun içinde yer alıp da, kendisi gibi bir enayiyi horlayan hemen her ferdine karşı çıkmasına gerek kalmıyordu. Kısacası fodul, ezilmeyi hakkediyordu! Zaten münevver bile değildi. Efgan Bakara hani şu, okullarda okutulup da talebelerin kafasını ütüleyen fizik, kimya, biyoloji gibi saçma sapan ilimlerle uğraşan bir inekti. Zaten fizikçiler, kimyacılar da inek değiller miydi? Bu inekler, içtimaî meselelerle uğraşmak yerine laboratuvarlara kapanmışlardı. Bu fiyakasız ilimleriyle elbette kadın kız tavlayamazlardı. Efgan Bakara da böyle olacaktı elbet. Üstelik bu fodul epey dindardı. Garip garip konuşuyor, meselâ Kopernik isimli bir adamın papaz, Mendel diye birinin ise keşiş olduğunu söylüyordu. Kaşalotzâdeye göre Nefton ve Kelvin isimli şahıslar da, Mak Plank da gayet dindardılar. Ayrıca enayi, Ayışıtan diye bir fizikçinin, yaratılmamış bir kâinatın imkânsız olduğunu beyan ettiğini söylemekteydi. Anlaşılan o ki, fen adamları pek o kadar münevver sayılmazlardı; bunlar olsa olsa, kadın kızdan uzak bir hayatı tercih eden ineklerdi. Bunlar gibi Efgan Bakara, bir de Mevlid-i Şerîf okutacağını söylüyordu. Dediğine bakılırsa annesini hastaneye götürmüş, röntgen çekildikten ve böylece teşhis konulduktan sonra da, kadıncağız şifâ bulmuştu. İşte bu fodul, iks ışınlarını keşfedip tıbbın hizmetine takdim eden ve sefâlet içinde vefat eden Konrad Röntgen'in ruhuna Mevlid-i Şerîf okutmaya niyet etmişti. Bir de utanmadan, röntgen çektiren her iman sahibinin, Konrad Röntgen merhumun ruhuna bir Fâtiha olsun okumalarını temenni ediyordu. Gazeteden aldığı ikramiyenin elli kuruşunu, o da bulabilirse, mevlidi okuyacak hocaya ödemeye niyetliydi. Ayrıca kısmet olursa, bayramda beş liraya kurban kestirecek ve derisini de, insanîyete faydası dokunmuş âlimlere Nobel mükâfatı dağıtan Suvaç Kraliyet İlimler Akademisi'ne gönderecekti. Bu fodul, düşünme hürriyetini de mânâsız buluyordu. Çünkü düşünme, modus tollens, modus pollens, de Morgan kaideleri, totoloji ve benzeri garip tuhaf kanunlar çiğnenmeden icrâ edilmesi gereken bir dimağ faaliyetiydi. Kaşalotzâdenin dediğine bakılırsa inanç hürriyeti, önce bunun dışında görünüyordu. Nitekim Efendimiz'e evvelki günün gazetesini gösterip, dinî inançlarından dolayı hapse atılanlarla ilgili haberi okumuş, ardından da utanmadan şunları söylemişti:

"Dinî inançları sebebiyle devletin hapse attıklarının çoğu, meselâ vicdanının sesini dinleyip hayırlı ve faydalı işler yapan bir Allahsızı, hapis yerine cehenneme atacak bir tanrıya inanmıyorlar mı? Bunda haklıysam hakkımı teslim et. Yoksa âhirete kul hakkıyla gidersin."

Enayi, hava kararana kadar daha birçok saçmalık geveledi durdu. Efgan Bakara, kursta alaya alınmasına artık hiç aldırmadan derslere inatla devam etmekteydi. Akşam ezanı okunurken Efendimiz'e çekine çekine, kendisiyle o gece kursa gelip gelmeyeceğini sordu. Üstelik ders parasını kendi cebinden verecekti. Hoca, geçen derste talebelere zehir dilli bir münekkidi takdim etmiş ve onlara, 'mektup' denilen edebî tür için birer örnek yazarak ertesi gün gelmelerini tembih etmişti. Devlet, sanata destek vermek için olsa gerek, münekkidi bir daireye müdür muavini sıfatıyla atamıştı. İşte bu adam, odasında herhalde bütün gün yazılarını kaleme alıyor ve eserlerde bulduğu hatalarla baş tâcı ediliyordu. Efgan Bakara, okuduğu lisedeki tabiiyye hocasına yazdığı ve dersin nasıl anlatılması gerektiği hususundaki mektubunda hayli iddialıydı. Bu mektubu tekrar tekrar Efendimiz'e okuyup duruyor, lâfın kısası, durmadan can sıkıyordu. İdris Âmil Hazretleri ise, bedava çay ve can sıkıntısı sebebiyle o gecelik olsun gitmeye karar verdiği ders için hiçbir hazırlık yapmış değildi. Ama olsun! En azından münekkidin onu bunu nasıl madara ettiğini görür ve az buçuk eğlenmiş olurdu. Bu sebepten, annesinin elini hürmeten öptükten sonra fodulla birlikte caddeye çıktı. Hava iyice kararmış, sokak lambaları yanmıştı. Efgan Bakara, o soğuğa ve cüzdanında altı lira olmasına rağmen, eskiciden de olsa bir palto satın almayacak kadar enayi olduğu için, sırtındaki ince ceketle o soğukta tir tir titremekteydi. Belki ısınmak için adımlarını sıklaştırmıştı, ancak Efendimiz bu fodula haddini bildirmek için, bile bile ağır âheste gidiyor, böylece her on metrede bir enayinin durup, o soğukta kendini beklemesini sağlıyordu. Fakat yağmur çiselemeye başlayınca Efendimiz de süratini arttırdı. Çünkü yağmur damlaları, hasır şapkasına nüfûz edip lifleri çürütebilir, daha da kötüsü, yer yer tutkalla yapıştırdığı kısımları eritebilirdi.

Ümmü Gülsüm Kıraathânesi'ne geç de olsa vâsıl olduklarında münekkit, masaya dizilen mektuplardan birini çoktan okumaya başlamıştı bile. Efgan Bakara çekine çekine masaya yaklaşıp kendi mektubunu en alta yerleştirdi ve Efendimiz'le birlikte arkalarda bir yere oturdu. Başından geniş kenarlı şapkasını çıkarma zahmetine bile girmeyen münekkit, yüksek zevkleriyle, yani kullandığı o uzun kuyruklu ve kıpkırmızı Amerikan otomobilinin kornasına basa basa İstiklâl Caddesi'nde fiyaka yapan sonradan görmelerden gayet farklı olarak, dünyanın bilet parasını verip Viyana'da izlediği operadan aldığı hazla, içtiği beş yıldızlı konyakla, Fransızca, İngilizce, Almanca ve hattâ Latince asıllarından okuma talihine ve zevkine eriştiği eserlerle kıvanç duymaktaydı. Hakkını vermek gerekir ki, parayı bastırıp kırmızı Amerikan otomobili alan taşralı yeni zengin müşteriden farklı olarak o, yüksek tüketim standartlarına sahip, kaliteli bir sanat ve edebiyat müşterisiydi. Fakat adam 'müşteri' tâbiri yerine, 'okuyucu,' 'seyirci,' 'dinleyici,' 'gezgin' ve 'şarap tadımcısı' gibi daha şık sıfatları tercih ediyordu. Doğruyu söylemek gerekirse o, hakikaten de rafine bir adamdı; tıpkı yıllanmış şarabın imbikten geçirilmesiyle elde edilen ve meşe fıçıda dinlenmeye bırakılan konyak, yahut, kanının canının tamamından ve ruhundan arınmış hâliyle meşe tabutunda istirahate çekilen Apollonsu bir upir gibi. Öyle ki, kendini damıtmak uğruna geride bıraktığı posadan, muhteşem ve esrik bir Baküs doğabilir ve onu tek eliyle boğabilirdi. Yine de ona haz veren asıl şey, aile geçmişi asırlar öncesine dayandığı için başkalarının sonradan görme olduğuna dair inancıydı. Fakat bu yanlış bir itikattı. Çünkü ona bakılırsa ahali, başta 1453 olmak üzere, 1839, 1876, 1908 ve 1925'te defalarca kültür şoku yaşayıp, defalarca sonradan görme olmuştu! Yine de adam buna aldırmaksızın, elindeki mektubu yüksek sesle hem okuyor, hem de suratında alaycı bir ifadeyle yanlışları tek tek oradakilere bildiriyordu:

"Bakın mektuba nasıl başlamış: 'Ağbiy.' Herhalde 'ağabey' demek istedi. Devam edelim: 'Mağsebeci emniyette.' Hah-hah-haa! 'Mağsebeci' değil, 'muhasebeci' olmalıydı. İşte güzel dilimizi böyle bozup yozlaştırıyorlar! 'Tiren piletlerini aldım.' Cahil! 'Tiren' değil, 'tren' olacak. Bakalım başka neler yazmış: 'Zimet suçunun cezası ağır.' Yine yanlış! 'Zimet' değil, 'zimmet' olmalıydı. Ayıp! Sizler nasıl edebiyatçı olacaksınız! İmlânız berbat! Bakın ne yazıyor: 'Askerî on sene yatarız.' Herhalde 'askerî' değil, 'asgarî' diyecekti. Kusura bakmayın, bu tam bir salaklıktır! Yine de okumaya devam ediyorum: 'Mağsebeci öttü.' Cahil adam aynı yanlışı tekrar ediyor. Bir kör bile aynı kuyuya iki kere düşmez. Başka neler yumurtladığına bakalım: 'Emniyet ismimizi yerimizi biliyor ağbiy.' Burada virgül koymalıydı ve yine 'ağabey' yanlış yazılmış. Oldu olacak, sonunu da okuyalım: 'Ben kaçıyom, sende kaç ağbiy. İmza: Odacın Ali' Aaaaaaa! Bizim Ali!"

Münekkidin beti benzi atmıştı. Eli ayağı gevşediği için mektup elinden kurtulup yere düştü. İşte bu sırada beklenmedik bir şey oldu. Kıraathânenin kapısı gümbürtüyle açılıverdi ve içeri ardı ardına yedi polis girdi. İkisi münekkidin kollarına yapıştı ve biri de bileklerine kelepçeyi geçiriverdi. Komiser, kıraathânenin telefonundan âmirine, "Ali'yi kaçırdık, ama en azından bu herifi yakalayabildik. Beş dakika geç kalsaydık o da kaçacaktı," diyordu. Münekkit, çalıştığı dairede zimmetine 15.000 lira geçirdiği anlaşıldığından tevkif edilmişti.

Bu elbette edebiyat camiası için hayırlı bir olay sayılmazdı. Çünkü dil yanlışları bulmada usta bir münekkidin kaybı, ortaya en az on kötü romancının çıkması demek olacaktı. Tevkif hâdisesi hakikaten üzücüydü: Dil, bir muhâfızını kaybetmişti! Muhâfızları olmadan da dil, elbette bozulur, yozlaşırdı! Fakat polisler münekkidi götürdükten sonra, talebeler Efgan Bakara'nın ne kadar salak olduğunu bir kere daha anladılar. Bu fodul kekeleye kekeleye, ona bakılırsa, Don Kişot'un dilinin de bozuk olduğunu söylüyordu. Keza Tente'nin İlâhî Komedi'si ve Rable'nin Gargantua'sının da dili bozuk ve yozdu. Çünkü sırasıyla İspanyolca, İtalyanca ve Fransızca, bir zamanlar cahil kölelerin ve serserilerin konuştuğu âmiyâne Latince'den, yani vulgare Latinum'dan türeyen, daha da âmiyâne, bozuk ve yoz dillerdi. Enayi utanmadan, romanda doğru-yanlışın değil, güzel-çirkinin işlediğini söylüyordu. Orduda yanaşık düzen neyse, romanda da gramer ve imlâ oydu. İmlâ kılavuzu aslında, siyasî görüşleri ne olursa olsun romancıları, "'Sağa-sola... Dön!', 'Tüfek... Omza!', 'Uygun adım... Marş!'" gibi emirlerle, bir Duce yahut Fuhrer'in ve bu liderlere ibâdet eden kuru kalabalığın önünde kaz adımlarıyla yürüten bir yanaşık düzen tâlimnâmesiydi. İşin tuhafı bu tür romancılar da, birer fuhrer olarak, kendi eserlerindeki karakterleri tekme tokat, ittire kaktıra, doğrusu pek güzel hizâya sokuyor ve zavallılara kendi önlerinde resmî geçit yaptırarak, nihayetinde romanlarını bitiriyorlardı. Katı disiplinleri yüzünden zavallı karakterlerinin hür olmasına imkân yoktu, çünkü hür olmayan şahıslar hürriyet veremezlerdi. Kazanılan bir şey olarak hürriyet, lortlara değil, ağızlarından küfür eksik olmayan avâmın kamarasına, hakkında 'sonradan görme Karga' denilen Şekspir'i zevkle seyreden cahil gürûha aitti; ama romanındaki karakterleriyle birlikte Fuhrer'in önünden uygun adım yürüyerek selâm çakan vé haysiyetinin sancağını indirip bir de onu tâzîm eden muharrire asla. İşin aslı, gramer ve imlâ kitabı hem laboratuvarlar ve hem de titiz hanım ve beyler için, fakat en önemlisi, edebiyat camiası için bir sterilizasyon rehberiydi! Nasıl ki titiz bir hizmetçi evin beyi çıkınca elinde tuz ruhu şişesi ve fırçayla, 'aman ev hanımı görmesin' diye helâya giriyorsa, editör de kendisini, münekkide mahcup olmamak için, romancının eserini gûyâ düzeltmek zorunda hissederdi. Bu tür münekkitler de zaten, kan, idrar, pislik lekeleri görünce fenalıklar geçiren ve her biri temizlik ve hijyen ilâhesi Hygeia'ya taş çıkartan hâlâ bâkire, ve mızmız ev hanımlarına; onların dırdırlarına kulak veren romancılar ise, bu hanımlar tarafından sterilize edilmiş kılıbık ve kısır kocalara benzerdi. Yine, daha da doğrusu imlâ kılavuzu ve gramer kitabı, tıpkı Mızraklı İlmihâl gibiydi. Dilde gramer ve imlâ yanlışları arayan münekkitler, aslında namazda 'La ilâhe' lafzını söylenirken sağ işaret parmağının kalkması gerektiğini, Ramazan'da basur memeleri makattan içeri itildiğinde orucun bozulduğunu, camide üzerine bir dirhem miktarından fazla pislik bulaştığı takdirde abdestin kaçtığını söyleyen ulemânın, dinde yaptıklarını dilde yapmaktaydılar. Anlaşılan o ki, tevkif edilen münekkit, hatimli kılınan terâvih namazı gibi muntazam romanlardan hoşlanmaktaydı. Oysa düzgün ile güzel farklı şeylerdi. Her şeyden önce romancı, bozkır kurdu kadar hürdü. Öfkeli kurtlar gırrrrramer kurallarını iştahla çiğneyip dişleri ve dillerinden akan kanla yazarlarken onların vahşî, dehşetengiz ve muhteşem cinâyetlerinden kalan leşlerdeki yalnışları yalayıp yalayıp sırıtan sırtlanlar gıdalarından şikâyette haklıydılar: Çünkü leş yiyicilerdi. Romancıya gelince, kurdunki gibi onunki de, ağzında öfke köpükleri ve elinde tunç balta ile savaş nâraları ata ata düşmanına saldıran savaşçının hürriyetiydi ve onun, öfkeli gözleriyle gördüğü gerçeğe dil uzatanların dilini baltasıyla parça parça edip akan kanla bir Kızıl destan yazmak gibi Eflatunî bir hülyası vardı. Hijyenik ve steril bir dilin muhâfızlığını yapan münekkit ise, erkeğin vücut sıvılarından tiksinen takınaklı bir kız kurusu gibi kısırdı.

Utanmaz fodul bunları söylerken Hoca bağırdı:

"Yeter! Çık dışarı terbiyesiz! Bir daha gelme buraya!"

Ders bitmişti.

Diğer talebeler gibi keyfi yerine gelen Efendimiz, fodula bir eyvallah bile demeden toparlanıp dışarı çıktı ve evine yollandı. Yağmur şiddetini arttırmıştı. İnce, yazlık ceketiyle Efgan Bakara ise, o yağmur altında ters yöne gidiyordu. İnsanların hakikî ve vefakâr dostu oldukları için iki sokak köpeği bu halk düşmanına havlıyor, bir üçüncüsü ise utanmazın paçasını dişlemiş, çekiştirip duruyordu. Ayakkabılarının altında gazete ile tıkanmış delikler yağmur suyunu artık geçirdiği için, enayi su birikintilerine gelişigüzel basmakta bir beis görmemekteydi. Elden geldiğince saçak altlarından yürümeye çalışarak İstiklâl Caddesi'ne vardı. Apartmanın kapısına geldiğinde lağım faresi gibi ıslanmıştı. Aksi gibi kapıcı da henüz yatmamıştı. Efgan Bakara cümle kapısından girer girmez bu adam pek de haklı olarak onu, "Bana bak! Taşları daha yeni paspasladım! Ortalığı batırmadan kenardan kenardan geç!" diye azarladı. Fodul, o vakitte kimseyi uyandırmamaya itina göstererek merdivenleri usûl usûl tırmandı. Çatıya varınca anahtarını çıkardı. Annesi yatmış olmalıydı. İçeriye girince, kapının hemen yanındaki mumun yandığını gördü. Sırılsıklam olmuş ayakkabılarını ve ardından da çoraplarını çıkardı. Annesi yatağında yatıyordu. Kadıncağız, Efgan Bakara'nın hayattaki yegâne varlığıydı. Bu yüzden yanına gidip annesini yanağından öpmek istedi. Ama kadıncağızın yanağı buz gibi soğuktu. Ama o, çoktan ölen kadını bir kez daha öptü. Çünkü annesiydi.

Ertesi gün öğleye epey vakit varken, caminin musalla taşında bir tabut ve onun yanındaki belediye bankında, cemaatsiz, akrabasız ve arkadaşsız, yani tek başına bekleyen bir oğul vardı. Gece başlayan yağmur dinmemişti. Cebindeki altı liranın tamamını masraf ve bahşiş olarak ödemişti. Ana ile oğlu o hâlde gören bir iki kişi, onları tanımadığı hâlde birer Fâtiha okudular. Nihayet öğle ezanı okundu. Cemaat namazı edâ ettikten sonra, mevtâya haklarını helâl ettiler. Ardından tabut cenaze arabasına taşındı. Mezar çoktan kazılmıştı. Fakat yağmur nedeniyle balçık içindeydi. İki mezarcını yanındaki imam dua okurken Efgan Bakara mezara girdi ve annesinin naaşını kaldırıp mezara yerleştirdi. Bu esnada sol ayakkabısının tabanı, yapışkan balçık sebebiyle yerinden çıkmıştı. Derken başladığı işi tek başına bitirmek istedi ve mezarcılara mâni olup eline küreği alarak anneciğini bizzât gömdü. İmam ve mezarcılar, yağmur yağdığı için onun ağlayıp ağlamadığını kestiremediler. Bir süre bekledikten sonra, onu mezarın başında bırakıp gitmişlerdi. Efgan Bakara, yağmur altında akşam ezanı duyulana kadar mezarın önünde bekledi. Bu süre zarfında onun kafasından neler geçtiğini kimse bilmez.

Ya!

"Hüüüüüüüüüüüüüüüüp! Jjjjjjjjjjjjjjjjt! Nah-ha!"

Akşam ezanı okunurken İdris Âmil Hazretleri ne hikmetse, Galata'daki Baküs Meyhânesi'nde, müellif kursunda tanışıp kafa dengi bulduğu üç yareniyle birlikte, veresiye içen meşhur bir ihtiyar şâirin masası başındaydı. Boz buruşuk takım elbiseli ve kırmızı suratlı şâir, yarım şuûr hâlinde olduğundan, Efendimiz ile diğer üç müellif namzedinin maskarası olma yolunda gibiydi. Şâirle alay etmelerine bile gerek yoktu, çünkü içkinin etkisiyle şunları sabuklayan zilzurna adam, zaten itin kıçındaydı. Yükselmiş birini düşürmek, yahut onun düştüğünü görmek, aşağıdakilerde adâletin yerini bulduğu hissini uyandırır ve onlara mutluluk verirdi. Şâir, şunları tekrarlıyordu:

"Heyyyt güzeller! Kalbimi kor, gözümü kôr, yerimi gôr eylediniz! Heyyyt meyhâneci! Doldur! Doldur! Od düştü gönlümüze kavurdu kül eyledi, misler gibi gül eyledi! Heeeyt! Doldur! Kızıl şarap ak gerdan, kıçından yırtıldı fistan! Heyyyt! Tüttür dumanı dünya yansın, doldur şarabı yürek yansın! Doldur! Şâir tayfasına esin kâfi! At sondan İstanbul'u baştan Edirne'yi, sonra da kucağıma otur emi! Heeeyt! Esinkâfi! Esinkâfi! Heyyyt!"

Herkes gibi pek de haklı olarak başkalarının talihsiz ve gülünç durumlarını görmekten haz alan İdris Âmil Hazretleri, ihtiyar duraksar gibi olduğunda onun yüzüne karşı yine aynı mübârek nidâyı koyvermişti:

"Hüüüüüüüüüüüüüüüüp! Jjjjjjjjjjjjjjjjt!"

Yan masada demlenen bir memur, ihtiyar şâire dönüp, "Beyefendi! Ne biçim konuşuyorsunuz!" diye çıkıştığında ondan şu cevabı almıştı:

"Ben konuşmuyorum. İçimdeki O konuşuyor!"

Müellif namzedi gençlerden biri memura, "Hadi idare ediver, adam kaçık, hem bak ne güzel eğleniyoruz," demek ister gibi bir göz kırptıktan sonra, birbirlerini dürtükleyip sırıtmaya devam ettiler. İçlerinden biri suratında utanmazca bir ifadeyle şâire, "'O', dediğin kim, yenge mi?" diye sorunca adam susuverdi. Belki de şâirin içinde konuşan varlık, şaraptaki hakikatti.

Şâirin suskunluğu bitmek bilmeyince Efendimiz ve arkadaşlarının canı epey sıkıldı ve yeni bir eğlence aramaya başladılar. Baküs Meyhânesi'nden çıkıp, gecenin o vakti hâlâ açık olan Cağaloğlu'ndaki Kültür Kıraathânesi münasip bir yerdi. Çünkü burası, özellikle genç münevverlerin cem olduğu bir mekân, âdeta minaresiz bir kültür camisiydi.

Köprü'den karşıya geçerlerken, kanları kaynadığından olsa gerek, Efendimiz ve arkadaşları güle oynaya birbirlerine el şakaları yapıyorlar, enselerine yanaklarına şakacıktan patlatıp bazen de daha ileri giderek yekdiğerini kızdırmaya çalışıyorlardı. İdris Âmil Hazretleri mutluydu. Ancak pantolonunun ağından içeri bir parmak girip de söküğün bir cırt sedasıyla adamakıllı büyümesine sebep olunca, bu işin fâiline o da aynı şeyi yaptı. Gülüşe kıkırdaya köprü boyunca yürürlerken delikanlılardan biri şakayı ifrâta vardırıp arkadaşının suratına şap diye şiddetli bir şaplak çarpmıştı. Canı epey acıyıp kızgınlıktan suratı kızaran genç de alt dudağını ısırıp, onu demir köprü korkuluğuna kıstırdı ve zavallının husyelerini avuçlayıp ona "Han Duvarları" şiirini, bağırta bağırta sonuna kadar okuttu. Bu tür el şakaları tâ Kültür Kıraathânesi'ne kadar devam etti. İşte buraya girmeden önce vitrin camında üstlerine başlarına bir çeki düzen verdiler. Hepsi de kendini yakışıklı buluyor olmalıydı ki, bu iş on beş dakika kadar sürmüştü. Nihayet kapıyı itip buram buram tütün kokan kıraathâneye girdiler ve boş bir masaya oturup bir elli iki ile dört çay söylediler. Kültür Kıraathânesi'nin bir duvarının yarısına, son on senenin 500 büyük edebiyatçısının resimleri asılmıştı. İdris Âmil Hazretleri bu muhteşem şahısları görünce, insanlık hâli icâbı, gün gelip kendi fotoğrafının da bu duvara asılması için Allahû Teâlâ'dan niyâzda bulundu. Şöhret onu daha şimdiden heyecanlandırmıştı! Gözlerini duvardan alamıyor, kapıldığı coşkudan nabzı pıt pıt atıyordu. Şöhret sevdası, ruhunu tutuşturmanın yanı sıra bedenini de harekete geçirdiğinden olsa gerek, karnı guruldamaya başlamıştı. Helâya bir gitse fena olmayacaktı. Neyse ki Kültür Kıraathânesi'nin helâsı genişçeydi. Gel gör ki, içeri girip kapıyı sürgülediğinde, helâ duvarında bir nice yazıyla yüz yüze geldi! Bunlar, kıraathâne müşterileri olan şâirler ile, onlara imrenen çoğunluğun, içlerinde başarılı olanlar hakkında helâ duvarına yazdıkları karalamalardı. Üstelik her bir ibârenin altında, müellifinin ismi değil, rumuzu vardı. Böylece Efendimiz de, kulağına sıkıştırdığı kalemi çıkarıp, meyhânede gördüğü ihtiyar şâirin rezil durumu hakkında bir karalama yazarak helânın hem deliğine hem de duvarına siftah etti. Ardından yazının altına, işaret parmağını hokka yerine makatına sokup pislikten ibâret imzasını attı.

Karısı kötü yola düşmüş biri olarak Kasımpaşa'da adı çıktığı için geç vakte kadar Kültür Kıraathânesi'nde kalan İdris Âmil Hazretleri, gece yarısına doğru Köprü'yü geçip Karaköy'e vardı. O karanlıkta ve artık inin cinin top oynadığı sokaklarda, kendisini durdurup yüzüne tükürecek ve ardından da "Deyyûs!" diye haykıracak bir haysiyet sahibi, bu saatten sonra elbet karşısına çıkmazdı. Fakat ne tuhaftır ki, Voyvoda Caddesi'nde yürürken, yanından geçen, iki tarafı damalı bir taksi yavaşladı ve ardından da sert bir frenle durdu. Boş caddede motörün sedası hâlâ işitiliyordu. Derken taksinin penceresinden bir kafa uzandı. Bu, dedesinin namaz takkeli kafasıydı. "İdris! İdris!" diye seslenip duruyordu. Şaşırıp kalan İdris Âmil Hazretleri, bir koşu taksinin yanına varınca dedesi kapıyı açtı. Bunun için kapı kolunu çevirmesine gerek kalmamıştı, çünkü külüstür taksinin kapı kilidi bozuk olduğundan, içindeki yolcu bir yandan da açılmasın diye kapıyı tutmak zorundaydı. Efendimiz koşup yetişinceye kadar, taksiyi süren şoför, başını direksiyona yaslayıp sızdığına bakılırsa, 24 saattir uykusuzdu. İdris Âmil Hazretleri içeri girip oturduğunda, ön koltukta dayısını, dedesinin hemen yanında da pederini görmüştü. İşin esasını sonradan anladı: Gelinleri Remziye kötü yola düştüğü ve oğulları da deyyûs olduğu için, utançtan konu komşuya görünmemek için dayısı ve pederi bir taksi şoförüyle anlaşmışlardı. Taksi, sabah ezanından önce kapıya geliyor, üçünü aldıktan sonra dayı ve pederi işlerine, dedeyi ise, bir başka cemaati olan Ortaköy Camii'ne bırakıyordu. Bu üç bahtı kara, tekmil günü tâ yatsıya kadar dışarıda geçirdikten sonra taksi yine gelip onları bir bir topluyor ve evlerine bırakıyordu. Kısacası aile, kimsenin yüzüne bakamaz olmuştu. Üstelik su gibi benzin yakan sekiz silindirli taksiye ve dokuz çocuklu şoföre dünyanın parası gidiyordu. Dayı'nın dediğine bakılırsa, İdris Âmil Hazretleri bir iş bulmalıydı. İşte bunu işitince Efendimiz'in başından aşağı kaynar sular dökülmüştü. Çünkü şiirden para kazanmak şimdilik zordu. Gerçi kendisi istikbâl vaat eden bir şâir olabilirdi ama, istikbâlde var olan para şu anda veya şimdi harcanamazdı. Üstelik, galiba son beş on kuruşunu da, Kültür Kıraathânesi'nde çay parası olarak vermişti. Efendimiz, beş kuruş olsun para kaldı mı diye elini cebine soktuğunda apışıp kalıverdi. Çünkü cebinde, kendisininkinden başka bir el daha vardı. İşte bu eli yakalar yakalamaz hayatı değişti:

Taksiyi durdurup şoföre bagajı açtırdılar. İçeride sıska bir çocuk vardı. Şoför ise ağlayıp zırlıyor, kendisini polise teslim etmemelerini rica ve istirhâm ediyordu. Bagajdan arka koltuğa bir delik açılmıştı. Hırsız çocuk, işte bu delikten elini sokup uzanarak, koltukta oturan şahsın cebini boşaltıyordu. Bagajda çocuktan başka, o günün hâsılâtı olan altı cüzdan ile bir de saat buldular. Her ne kadar bozuk olmasına rağmen, sırf gösteriş fiyaka olur diye Efendimiz bu saati koluna geçirdi. Dayısı ise cüzdanlardaki toplam 45 lirayı alıp iki defa saydı. Dedesi taksi şoförüne, hırsızlığın ve harâmîliğin büyük bir günah olduğunu anlatadursun, dayısı da adamcağıza, her sabah aynı saatte gelip kendilerini alması ve her gece aynı saatte eve bırakması karşılığında, polisin kulağına pek bir lâf gitmeyeceğini söyleyip aba altından değnek göstermekteydi. Gözlerinden korku yaşları aktığı hâlde şoför, onları eve getirdiğinde Efendimiz taksiden inmedi. Kim bilir, yeraltı âleminin bu cihetini iyi bildiğine inandığı şoförle konuşacak bazı şeyleri vardı belki. Yine belli olmaz, bu adam kendisine bir geçim kapısı açar, meselâ sanatını öğretirdi. Böylece Efendimiz, edebiyat ve sinema sanatları yanında, yine aşk kadar heyecan verici olan hırsızlık sanatında da parlayabilir, bakarsın cebine üç beş kuruş da girebilirdi. Allah akıl fikir versin.

Aynı gece, gözünden hâlâ uyku ve gözyaşı akan şoför gaza basıp, Efendimiz'i Galata'da, ispiyonculuğa girmemesi için adının başta polis olmak üzere hiçbir kimseye verilmesi pek münasip kaçmayacak bir sokağa götürdü. Emniyet teşkilâtına bu sokakta dönenler bildirilse bile, inan olsun, üzerine devlet malı zimmetli hiçbir polis bu sokağa girmezdi. Nitekim, en son üç yıl önce âsâyiş ekibi sokağa gelip o yıkıldı yıkılacak, üç dört katlı köhne tuğla apartmanlardan birine baskın yaptıktan sonra, hiçbir delil bulmadan sokağa tekrar indiklerinde park ettikleri vâsıtanın dört tekerinin birden çalındığını görmüşlerdi. Bunun üzerine baskın yaptıkları apartmana yine girdiklerinde, tekerlerden ikisini merdiven altında bulmayı başarmışlar; bunları döndüre döndüre aşağı indirdiklerinde ise, bu kez vâsıtanın motörünün sökülerek götürüldüğünü fark edip dehşete kapılmışlardı. Binaya tekrar girdiklerinde dört tekerlekten üçüncüsünü de bulsalar bile, aşağı indikleri zaman ne sokakta bıraktıkları diğer iki tekerlekten, ne de polis vâsıtasından bir iz eser bulabilmişlerdi. Ellerinde kala kala sadece bir tek tekerlek kalmıştı ki, yokuş yukarı Beyoğlu Karakolu'na doğru kan ter içinde nöbetleşe yuvarladıkları bu tekerlek de, hedefe az kala ellerinden kurtulup fırıl fırıl döne döne gerisin geri yokuş aşağı yuvarlanarak nihayetinde Haliç'i boylamıştı.

Gecenin o ayazında şoför işte bu sokakta, zemin katı Ceneviz kavmince inşa edilip üstüne bir kâgir ve bir de ahşap kat çıkılmış bir binanın önünde durdu. Çocuk arka koltukta uyumuş kalmıştı, zaten bir yatağı yoktu ve dâima orada yatardı. Yağmur başladığı için şoför yırtık pırtık, hattâ üzerinde pek bez kalmamış, âdeta sadece tellerden ibâret bir şemsiye açtı. Birlikte binanın arkasındaki kapıya yürüdüler. Şoför kapıyı yumrukladı. Neden sonra kapı açıldı ve elinde idare lambası, suratından uğursuzluk akan biri ona, "Kapıyı ne diye yumrukluyorsun! Âdâb-ı muaşeretten haberin yok mu! Edep erkân görmüş hırsız kapıyı çalmaz, maymuncukla açar!" diye çıkıştı. Şoför ise pek üzerinde durmadan, "Muhtarı göreceğiz. Yeni biri var. Kendisi yakînimdir," demişti. Bunun üzerine uğursuz suratlı, şoförün kulağına bir şeyler fısıldadı. Ardından sokağa yine indiler ve otomobile binip epey bir gittikten sonra İstiklâl Caddesi'ne çıktılar. Nihayet ekstra ekstra lüks bir apartmanın önünde durdular. Yağmur sürüyor ve arada bir gök gürlüyordu. Efendimiz'e şemsiyesiyle refâkat eden şoför, kapıyı açıp apartmana girdi. Hidrolik asansörle beşinci kata çıktılar. Şoför düğmeyi çevirip elektrik ampulünü yakınca, tepesinde ağaç oyma koskoca bir arslan kafası olan bir kapı göründü. O kadar muhteşemdi ki, üstüne üstlük bir de geyik derisiyle kaplanmasına aslında hiç de gerek yoktu. Şoför kapıyı açtı ve içeri ayak bastılar. Parıl parıl yanan bir kristal avizenin aydınlattığı salona girdiklerinde İdris Âmil Hazretleri, melek motifli kâğıtla kaplı duvarlarda, eski zaman insanlarının, altın yaldızlı çerçeveler içerisindeki yağlıboya tablolarını gördü. Salonun ortasındaki abanoz sehpanın ve her dört duvardaki On altıncı Lui, Bidermayer, rejans tarzındaki konsolların üstünde, gümüş vazolar, biblolar ve şamdanlar ışıl ışıl parlıyordu. Şoför, Efendimiz'e eliyle 'Gel' işareti yaptı ve zaten açık olan kapıdan yatak odasına girdiler. Gösterişli bir yatakta yaşlı bir karı koca horul horul uyumaktaydı. İşte bu yatağın hemen yanı başında, mobilyada Gotik uyanışın bir eseri olan koltukta, elinde konyak kadehi ile huysuz biri yan gelip yatmıştı. Diğer üç kişi ise, yatak odasındaki şömineyi yakmaya çalışıyorlar, ancak alevi, ciğerlerinin bütün gücüyle ne kadar üfleseler de, odunlar pek kuru olmadığından mıdır, bu işi başarámıyorlardı. Koltuktaki şahıs onları, "Beceriksizler sizi!" diye azarladığında, yatağında karısıyla yatan adam uyanır gibi olmuştu ama yine aynı şahıs, konyağından bir yudum daha aldıktan sonra, "Pış! Pış! Pış! Pışşş!" diye onu uyuttu. Kadehini yine doldurup şişeyi beceriksizlere uzattı. Beş yıldızlı konyaktan biraz dökülünce odunlar tutuşturulabilmişti. Artık duvara gömülü çelik kasa açılabilirdi. Bu iş için üç değil, aslında bir kişi bile yeterdi. Hattâ aşağıda otomobilin arka koltuğunda uyuyan çocuk bile kasayı pekâlâ açabilirdi. Ama diğer iki kişi, koltukta konyağını yudumlayan şahsın, hususî hizmetkârlarıydı. Bu şahıs, adının verilmesi pek münasip olmayacak o sokakta yaşayan hırsız kolonisinin reisi, hattâ ve hattâ meşrû bir seçimle başlarına gelmiş muhtarlarıydı. Kadehinden bir yudum daha aldıktan sonra Efendimiz'e şöyle bir baktı ve âdeta onun ruhunu beynini okudu. Nedendir bilinmez, fakat galiba inisiyasyon niyetiyle yerinden Vaftizci Yahya gibi doğrulup İdris Âmil Hazretleri'nin ayağına, âdeta piyanonun sağ pedalıymış gibi basıverdi! Efendimiz'in kulağı acıdan Sanctum Iohannes'in inisiyaliyle çınlamaya başlamış, duvar saatinin sarkacı ise sanki puandorg ile zaten duruvermişti! Öyle ki, kulağındaki ses, sanki Fingal'de çınlayan bitmeyecek bir senfoniydi. Adam var gücüyle basmayı sürdürüyor ve İdris Âmil Hazretleri'nin kulağındaki çınlama da kesilmek bilmiyordu. İşte belki de, bu mühim Hırsızbaşı'na bir corona koymak icap ederdi.

Ama kral tâcı yahut aziz hâlesi yerine, başında mütevâzı bir fötür şapka, üzerinde ise, sol dirseği yırtılmış bir boz takım elbise vardı. Upuzun ve ağarmış kaşlarına, kırış kırış esmer suratına bakılırsa altmışını çoktan geride bırakmıştı. Ama gözlerindeki pırıltı, ihtirastan değil, şöminedeki ateşin yansımasından ileri geliyor olsa gerekti. İki numara büyük olduğu ve maharetli bir İtalyan kundura üstâdı tarafından yapıldığı nazar-ı dikkate alındığında, çalıntı olduğu âşikâr ayakkabılarında da vardı o parıltı. Unvanı ise hem lâkabı ve hem de ismi olageldiğinden, ona 'Muhtar' diye hitap etmemek ayıp kaçardı. Şehirdeki hırsızlık camiasının yegâne reisi olması yanı sıra, aynı zamanda bilinen en iyi çilingirdi! Onun nâm salması, devlet bankalarından birinde çalışan kasa dairesi memurunun, içinde yirmi ton altın bulunan, iki metre çapında ve doksan santim kalınlığındaki zaman ayarlı kasayı, dört saate değil, yanlışlıkla dört seneye ayarlamasıyla başlamıştı. Vali ve emniyet müdürü bu kasayı sadece Muhtar'ın açabileceğini bildiklerinden, makam otomobilleriyle kapısına varmışlar, kendisi de, o sıralar epey meşgul olduğunu, ama bir ara bankayı ziyâret edip hayır olsun diye pekâlâ kasayı açabileceğini beyan etmişti. Çalışanlarla birlikte müdür, ertesi sabah gidip bankaya girdiğinde hayretler içinde kalmıştı. Evet! Kasa açıktı, ama kasanın iki metre çapındaki o beş tonluk kapağı yürütülmüştü! İşin tuhafı, içindeki yirmi ton altına el sürülmemişti. Polisler ipucu olarak sadece, yerde bir firkete bulabilmişlerdi. İşte bu hâdiseden sonra Muhtar, resmî makamlar nezdinde hatırı geçen biri oluvermişti. Fakat onun saygınlığını arttıran asıl vasfı, bir nazariyeci olmasıydı: Hırsızlık camiasının reisi Muhtar'a göre, insanoğlunun imal ettiği şeylerin ancak yüzde yirmisi onun ihtiyaçlarının yüzde seksenini karşılarken, imal edilen şeylerin yüzde sekseni de ihtiyaçların kalan yüzde yirmisini karşılıyordu. Muhtar bu fikri de mesleği icâbı, Pilpireto Pireto nâm bir alimden yürütmüştü. Buna göre imalâtçıların yüzde yirmisinin ürünü olan ekmek, kumaş, tuğla, orak, çekiç, traktör, şimendifer gibi mallar ihtiyaçların yüzde sekseni iken, pasta, smokin, köşk, Rols Roys ve altmış metrelik hususî yat gibi şeyler de, insanoğlunun toplam ihtiyaçlarının sadece yüzde yirmisiydi. İşte hırsız camiası da zaten bu yüzde yirminin peşindeydi. Aslında yaptıkları işe hırsızlık demek iftira olurdu. Çünkü onlar, tarih öncesi atalarımızın yaptığı gibi toplayıcılıkla geçiniyorlardı. Atalarımız nasıl ki tabiattan sebze meyve topluyorlarsa, hırsızlar da şehirden altın gümüş toplayan gözü gönlü tok insanlardı. Bunun yanında Muhtar, bir de mülkiyet nazariyesi ortaya atmıştı. Buna göre bir mağara adamı kırda bayırda dolaşırken elma ağacı gördü mü, cüssesine göre bir, yahut bilemedin iki elma koparması icap ederdi. Çünkü elmayı gördüğü ya da kopardığı esnada değil, ancak yiyip mideye indirdiği anda bu meyve onun malı olurdu. Amma namussuzluk edip de, fazladan bir elma kopararak onu muhtemel bir değiş tokuşta koz olsun diye koynuna sıkıştırdı mı, işte asıl hırsızlık bu olurdu. Janjank'ın verdiği misâlde olduğu gibi, sadece elma hususunda değil, adam kırda bir araziyi çitle çevirdikten sonra, "Nah burası benim!" diye feryat ediyorsa, hırsızın âlâsıydı. Mâlikü'l Mülk'e ait bu araziyi hele bir de satarsa, hırsızlık malı satmış olmaz mıydı? Zaten Muhtar, kopardığı o bir fazladan elmayı sözgelimi elli beş cevizle takas eden mağara adamı gibi şahısları hiç sevmezdi. Çünkü şehirde, reisliğini Muhtar'ın yaptığı hırsızlar camiasının alın teriyle oradan buradan yürüttüğü pırlanta yüzük, zümrüt gerdanlık, gümüş vazo, altın şamdan gibi malların alıcısı olan tüccarlar pek insafsızdılar. Bu namussuzlar, harcanan onca emeğe ve katlanılan bunca zahmete aldırmaksızın, bu tür malları kıymetlerinin yirmide ve hattâ otuzda birine satın alırlar, hırsızların emeğini sömürürlerdi. Adâletli olsalardı, Galata'da o sefil sokakta yaşayan hırsızlar camiası, şimdi köşklerde kâşanelerde yaşayabilirdi. Ama fakirliğin gözü kör olsun, hırsız tâifesinin parada pulda gözü yoktu. Zaten çalıntı malları satın alan namussuz tüccarların depoları hemen ertesi akşam soyulur, piyasadaki çalıntı mal arzının böylece yükseleceği tahmin edildiğinden, zaten kıymetinin otuzda biri gibi cüzî ve makul bir fiyata gidecek mal da, kırkta ve hattâ ellide birden zor alıcı bulurdu. Evet! Hırsızlık mallarını okutmakla mükellef

Muhtar'ın işi zordu. Gel gör ki çalıntı eşya alan tüccarlarla didişmeye hayatını adamış bu muhteşem şahsiyet, bir şöhreti hak etmekteydi! Neylersin ki meşhur etmek için onu teşhir etmek icap ediyordu: İspiyonculuk olacak ama, bu namussuzlarla çekişe çekişe pazarlık eden Muhtar'ın asıl ismi Üçüncü Remzi idi. Muhtarlık babadan oğula geçerdi ve onun dedesi olan müteveffâ Birinci Remzi yarım asırdan beri, ayıptır söylemesi, zaten dünya çapında şöhretli biri olmuştu. Elli sene kadar önce camianın muhtarı olan bu sima, Pera Palas'ta mühim bir Fransız ressamının odasına girip yükte hafif pahada ağır ne varsa torbasına doldururken ansızın kapı açılmış ve ressam içeri girivermişti. Hâl böyle olunca İkinci Remzi torbasıyla üçüncü kattan atlamış ve talihi yâver gittiği için önce tentenin, ardından da, kahvesini yudumlayan şişman bir hanımın kucağına düşmüştü. Ressam ise, firavun faresi tüyünden fırça takımı çalındığı için polise başvurmuş, hattâ eşkalini tarif etmek yerine oturup, odasına giren hırsızın bir yağlıboya tablosunu yapmıştı. Niyeti, resmi polise verip hırsızın yakalanmasını sağlamaktı. İyi hoş ama, resim de epey güzel olmuştu. İşte bu yüzden şikâyetini geri çekmiş ve doğruca memleketine yollanmıştı. İşte bu resim daha sonra, Luvr Müzesi tarafından satın alınmış ve oradan çalınana, yani beş sene evveline kadar ahaliye teşhir edilmişti. Ancak şöhret, bir hırsız için iyi bir meziyet değildi. Bunun için kendi isimlerinden ziyâde rumuz ve lâkap kullanırlar ve bunları da sık sık değiştirirlerdi. Öyle ki camiada nâm salmak neredeyse imkânsızdı. Çünkü bu meslek alçakgönüllülüğü gerektirirdi. İçlerinden hiçbiri vurduğu servetle övünmez, işlerini ibâdet eder gibi sessiz sedasız icrâ eder, hırsız ile ev sahibi arasına kimsenin girmemesi gerektiğine itikat ederlerdi. Bunlara haramî demek de pek doğru olmazdı. Çünkü hepsi dindardılar. Hem hırsız hem de dindar olmaları başta tuhaf görünebilirdi. Ama haklarını yememeli! Doğrusu iyi ve hayırsever insanlardı! Hattâ ataları olan kadîm hırsızlar sokakta bir de cami yaptırmıştı ki buranın zeminine, eski zaman sultanları tarafından yaptırılmış camilerden, daha ahalinin hizmetine açılır açılmaz ataları tarafından yürütülmüş epey kıymetli halılar seriliydi. İşte bu camide bazen, emekliye ayrılmış bir ihtiyar, tâ Emeviler devrinden kalma ve hususî koleksiyondan yürütülmüş, paha biçilmez bir el yazması Mushaf'ı açıp kendince kıraat eder, ara sıra da içli içli ağlardı. Zaten camiada, ihtiyarlayıp elden ayaktan düşen meslektaşlara bir de emekli maaşı bağlanırdı. Şurasını söylemek doğru olur ki, zaten aslında bütün hırsızlar maaş alırlardı. Çünkü gecenin vurgunu olan mallar, hak adâlet gözeten Muhtar'ın evinin çatı katına taşınır, o da bunları elden çıkarıp herkesin maaşını tıkır tıkır öderdi. Elbette herkes aynı maaşı alamazdı. Çünkü bu işte kıdem ve liyâkat esastı. Fakat camia için iş güvencesi vardı. Buna bir de sıhhat güvencesini eklemek doğru olurdu. İşin esasında, camianın bir de, kabristandan iskelet çaldığı için tıbbîyeden atılmış doktoru bile vardı. Ancak camiada yigirmi yaşına basanları bir vazife bekliyordu ki, bu da gönüllü mahpusluktu! Çünkü yapılan soygunların fâillerini arayan polis, elbette ki fezleke hazırlayıp mahkemeye çıkaracak şahıslar isterdi. İşte bu yüzden, on tokuz yaşını dolduranlar, senede üç tertip olarak, önden motörlü bir otobüse bindirilerek davul zurna ve bayraklar eşliğinde Beyoğlu Karakolu'na yollanırdı. Geçen devrede sözgelimi 400 soygun yapıldıysa bunlar, hırsızlar arasında önceden üleştirilmiş olur, böylece herkes orada ne söyleyeceğini bilirdi. Bu mahpusların acemilik yeri elbette Sultanahmet Cezaevi idi. Ardından verdikleri dilekçelerle memleketin dört bir yanına dağıtıma çıkarlar, cezalarını doldurana kadar da şafak sayarlardı. Bunların ailelerine iyi bakılır, ayrıca kendilerine para da gönderilirdi. Fakat bu mahpusların paraya ihtiyaçları var denemezdi. Çünkü tahliye olup geldikleri vakit yanlarında genellikle, cezaevinin daktilo makinası, gardiyanların kol saatleri, hurdacıya satılmak üzere asgarî 5 kilo anahtar bulunur, ayrıca her biri, ya cezaevi müdürünün takım elbisesini, ya da savcının iskarpinlerini giymiş olurdu. Gel gör ki, hırsızlık müessesesine girmek kolay iş değildi! Her şeyden önce, iki kefil ile adlî sicil kaydı isteniyor, temiz kâğıdı getirenler camiaya kabul olunmuyordu. Ama bazen gerekçeli hüküm yerine, hatırlı namzetler için karakol fezlekesinin de iş gördüğü oluyor, yani ara sıra prosedürün tavsadığı da görülüyordu. Kısacası hatır, kayırma, torpil ve piston, o devirde bu teşekküle bile bulaşmıştı. Fakat adâletli, hak gözeten ve gayet namuslu biri olan Muhtar, hırsızlar camiasındaki bu yozlaşmayla mücadele etmeye kararlı olduğundan, genellikle şehrin zenginleri ve büyüklerinin kartvizitleriyle kendisine başvuranları hemen geri çeviriyor, çünkü başvuru sahiplerinin, bu zengin ve yüksek şahsiyetlerin evlerine bizzât girip daha birçok şeyle birlikte o kartvizitleri de çekmecelerden deste deste çaldıklarını adı gibi biliyordu. Hırsızlık mesleğinde haysiyetsizliğe yer yoktu. İşte bu nedenledir ki Muhtar, namzetlerin saf, temiz, gözü gönlü tok, mütevâzı ve mümkünse dindarca olmasını tercih ediyordu. Belki de aylardan sonra karşısına, o gece nihayet, böyle bir helâl süt emmiş şahsiyet çıkmıştı! Deminden beri ayağına var kuvvetiyle basmasına rağmen gıkı bile çıkmaksızın karşısında bekleyen hasır şapkalı delikanlı, demek ki evlere sessiz sedasız girebilecek ve bu sayede yine selâmetle çıkabilecek kabiliyetteydi. Hakikî bir insan sarrafı olan Muhtar, böylece daha o gece, Efendimiz'in on tört ayar insan, on sekiz ayar hırsız, yigirmi tört ayar namussuz ruhuna sahip, som bir süprüntü olduğuna kalıbını bastı. Ardından, fötür şapkasını hürmetle kafasından çıkarıp, İdris Âmil Hazretleri'nin kundurasının burnuna bastırdığı ayağını çeker çekmez, Efendimiz'in kulağındaki çınlama kesiliverdi!

Gel gör ki hırsızlar camiasının bir mesleğe başlama mevzûatı da vardı ve şehir içinde herkesin icrâ-yı faaliyet eyleyeceği mahaller belliydi. Mevzûata göre Efendimiz hâliyle bir imtihana tâbi tutulacak ve alacağı dereceye göre bu bölgelerden birindeki bir sokağa Muhtar tarafından tâyin edilecekti. Sözkonusu imtihan hemen o gece yapılacak ve Efendimiz'i getirip ona kefil olan şoför ile, Muhtar'ın adamlarından biri hakem olacaktı. Bir adâletsizlik husûle gelmemesi için, şehrin merkezi sayılan Aksaray uygun gibiydi. Fakat derhal yola çıkmaları gerekiyordu. Çünkü saat sabahın ikisiydi ve elbette, insanoğlunun uykusunun en derin zamanı saat 4'e tesadüf ederdi. Bu nedenle şoför ve Muhtar'ın adamı, Efendimiz'i de yanlarına alarak aşağıda bekleyen otomobile bindiler. Şoför kontağı çevirdi ve otomobil o tenha yolda Aksaray'a kadar yarım saatte vardı. İdris Âmil Hazretleri'nin yapması gereken, elinde maymuncukla gönlünün çektiği bir eve girip oradan, alabileceği en kıymetli malları yürütmekti. Ancak müşkülât çıkarmak için ona çuval yerine, uçkurları dizlerinden büzülüp düğümlenmiş ve hayli kirlice bir iç don vermişlerdi. Bu da herhalde, onun yükte hafif pahada ağır şeyler aşırması için ayrı bir imtihan sayılırdı.

Otomobil onu uzakça bir yerde beklerken Efendimiz, epey gösterişli bir evi gözüne kestirmişti. Fakat işin kötüsü, evin bacasında bir baykuş banlıyor ve uğursuz sedası arada bir mahallede yankılanıyordu. Sokakta elektrik lambası da vardı. Arkasından konuşmak gibi olmasın ama, İdris Âmil Hazretleri pek o kadar cesur sayılmazdı. O tenha ve karanlık sokakta, kendi serçe misâli yüreciğinin pıtpıtlarını, bağrından gümgüm gibi duyması belki de bu yüzdendi. O karanlık ve kasvetli ortamda, tekinsiz evin kapısına usûlca yaklaşmadan önce kapıda kunduralarını çıkardı. Fakat maymuncuğunu eline alıp kendine giderayak tâlim ettirildiği gibi anahtar deliğine sokmaya yeltendiğinde kapı gıcırtıyla ve üstelik kendiliğinden açılınca yüreği ağzına geldi! İçerisi zifirî karanlıktı. Ama neden sonra gözleri, karanlığa az buçuk alıştı. Gelgelelim o yürüdükçe, aksi gibi tahta döşeme hafif hafif gıcırdıyordu. Torba yerine kullandığı iç dona, karanlıkta eline gelen ve ne olduğunu bilmediği bir şeyi attı. El yordamıyla ağır âheste o karanlıkta evin içinden dolaşıyor, rastlayıp da ne olduğuna dair bir fikir sahibi olmadığı nesneleri torbaya atıyor, ama heyecanını dindirmek için de, sık sık soluklanıyordu. Kalbi bağrından fırlayıp çıkacak gibiydi! Evin içinde el yordamıyla dişe dokunur bir şeyler ararken, ansızın bir şeyi avuçlayıverdi. Bu, yuvarlakça, bez kaplı bir şeydi. O anda burnuna, az önce söndürülmüş bir mumun kokusu geliverdi ve bağırmamak için kendini zor tuttu. Bu bez kaplı yuvarlağı torbaya atıp kaçsa iyi olurdu. Ama bu şey herhalde ağırcaydı ki, pek sağa sola kımıldamıyordu. Herhalde kaidesinden avuçlamak icap etmekteydi. Biraz eğilip yuvarlak şeyi daha aşağıdan kavramaya kalktığında elleri yumuşak ve sıcak iki yanağa değdi. Neûzübillâh! Bir kelleydi bu! Üstelik Kıble'ye dönüktü. İşte o karanlıkta bir el, İdris Âmil Hazretleri'nin bileğini yakalayıverdi.

Çakmak çakıldığında, gözlerde ışıl ışıl yanan iman alevleri, Efendimiz'i dalda dalga sarstı. Seccadesinin üzerinde ibâdet etmekte olan başı namaz takkeli ev sahibi onu yakalamıştı! Az önce söndürdüğü mumu çakmağıyla tekrar yaktıktan sonra bu kez, eli İdris Âmil Hazretleri'nin mübârek sağ kulağına gitti ve tombul parmaklar birer mengene gibi kıkırdağını çat diye kıkırdattı. Öyle ki, ıstıraptan Efendimiz'in gözlerinden yaş geldi. Ama söyleyecek lâfı elbette olamazdı. Çünkü adamın malına kastetmişti. Ne var ki, adam anlayışlı bir zâta benziyordu. Bir eli İdris Âmil Hazretleri'nin bileğinde, diğeri kulağında olmak üzere, onu sedire doğru sürükledi ve herhalde nasihat verip onu doğru yola sevk etmek için oturttu. Elini İdris Âmil Hazretleri'nin cebine sokup kafa kâğıdını çıkardıktan sonra kuşağına sıkıştırdı. Ardından da, Efendimiz'in suratından ayırmadığı gözlerindeki iman pırıltılarıyla onun ruhunu tutuşturdu. Fakat beti benzi atan Efendimiz'de ruh muh, hattâ can kalmamış gibiydi! Ev sahibine âdeta teslim olmuştu. Başındaki namaz takkesine bakılırsa, adam herhalde mübârek bir sima, belki de din görevlisiydi. Ayağını yere vurduğuna göre anlaşılan sert biriydi de. Neden sonra yukarıdan, "Ne var baba! Bu saatte ne bu gürültü!" diye bir kız sesi geldiğinde, adam ona, "Derhal Bayram'ı buraya gönder! Bidonu getirsin!" diye bağırmıştı. Ahşap merdivenlerden işitilen gıcırtılara bakılırsa Bayram geliyordu. Ancak bu elbette, İdris Âmil Hazretleri'nin değil, ev sahibinin kızıl bayramı olacaktı.

Az bir zaman sonra Efendimiz, iki eliyle zor belâ taşıdığı bidonla evin kapısından çıktı. Otomobildekiler onu fark etmiş olacaklardı ki farlar yandı ve vâsıta yavaş yavaş İdris Âmil Hazretleri'ne doğru yaklaşıp onu takip etmeye başladı. Şoför, Efendimiz'e, "Âferin. O ağır şey ne öyle! Anlaşılan vurgun vurmuşsun!" diye söylenedursun, o aldırmadan yokuş yukarı yoluna devam ediyor, otomobile binmeye yeltenmiyordu. Şoför ve Muhtar'ın adamı Efendimiz'e her ne kadar, "Hey! Hişşşt! Baksana! Nereye böyle!" deseler de İdris Âmil Hazretleri telâş içinde sokağın sonundaki terk edilmiş, ama hâlâ pekâlâ bir mimarî şâheser sayılabilecek ve etrafı servilerle çevrili, en az 400 senelik tarihî hamama doğru koşar adım ilerliyordu. Ama şoför gaza bastı ve otomobil ondan önce hamama vardı. Muhtar'ın adamı ve kontağı kapatan şoför indiler. Hattâ arka koltukta uyuyan çocuk bile uyanmış, o karanlıkta, belki de açılmak için dışarı çıkmıştı. Elinde bidonla hamamın kilitli kapısına gelen Efendimiz cebinden koskoca bir anahtar çıkartınca işler değişmişti. Hele hele hamam kadar eski anahtarı, asırların pasını taşıyan kapıdaki deliğe sokup bir iki döndürünce, oradakilerin gözleri parladı. Derken bir tekme darbesiyle kapı ardına kadar açıldı. İçeri girdiklerinde, şoför çakmağı çakar çakmaz sevinçten yürekleri oynayıverdi! Duvarlarda paha biçilmez çiniler vardı! Öyle ki bunların sadece yirmi tanesi, hırsızlar camiasının belki bir aylık iâşesini karşılardı. Ama o esnada beklemedikleri bir hâdise vukua geldi: İdris Âmil Hazretleri bidonun kapağını açmış, içindeki sıvıyı zemine döküyordu. Benzin kokusunu hemen tanıdılar. O anda ne yapacaklarını bilememişlerdi. Efendimiz neredeyse bütün zemine benzin döktükten sonra sıra, servilerle dolu bahçeye gelmişti. İşte kibriti cebinden bu sırada çıkardı. İlk kaçan çocuk, ardından da otomobili kurtarmak isteyen şoför olmuştu. Muhtar'ın adamı ise, delirdiğine kanaat getirdiği İdris âmil Hazretleri'ne mâni olmak istedi ama, kibrit yakılır yakılmaz o da kaçtı. İşte o anda alevler, bir mimarî şâheser olan tarihî hamamı ve servilerle dolu o güzelim bahçeyi sarıverdi!

Otomobilde geri dönerlerken, Muhtar'ın adamının şaplattığı tokatlara rağmen Efendimiz, girdiği evin sahibinin belediyede tanıdığı olan bir inşaat müteahhidi olduğunu, tarihî hamamı yakmadığı takdirde kendisini polise teslim etmekle tehdit ettiğini boş yere anlatmaya çalıştı. Dediğine bakılırsa, birçok meslektaşının aksine, onlar kadar dürüst olmayan müteahhit, yanan hamamın arsasına iş hanı yapacak ve parayı vuracak, aynı zamanda memleketin iktisadî durumunu bu sayede az buçuk düzeltecekti. Gerçi müteahhidin manevî tarafı güçlüydü. Çünkü Uhud'dan Ridaniye'ye kadar yapılan bütün dinî harpleri biliyordu. İllâ ve lâkin, ruhuna pek uygun olarak, askerî tarihi bilmesine rağmen galiba sanat tarihinden epey habersizdi. 400 senelik hamamı belki de bu yüzden gözden çıkarmış olmalıydı. Muhtemelen iş hanından enikonu para kazanacak, ama müzayedede bir Hint minyatürü almak, yahut yatla Galapagos Adaları'na seyahat etmek, tayyâreyle Capon diyârına uçup Tempuri yemek aklına gelmeyeceği için bu para, kasasını beyhûde yere doldurmuş olacaktı. Galiba adam, zenginlik ile refahı aynı şey zannediyordu. Ama sanat tarihi, Galapagos'taki o tuhaf hayvanlar, uzak şark aşevlerindeki yarım porsiyon acayip yemekler, haybeden mantardan şeylerdi. Her şeyden önce yaktırdığı tarihî hamam, alt tarafı bir taş yığınıydı! Hem vaktiyle Sultan Hazretleri de, Zevs denilen putun altarını, "ne de olsa taştır," diye bir Evropa devletine vermemiş miydi! Aynı zamanda, sanat, ilim ve edebiyat tarihi de fasaryaydı. En önemli tarih, zaferlerin ve kahramanların anlatıldığı askerî, sonra da siyasî tarihti. Ama öyle bir siyaset değil, tebaanın seyisi olan sultanların kılınçla yazdığı tarihti bu. Çünkü tarih yazmak ayaktakımının haddi değildi. Üstelik, servileriyle birlikte yanıp giden yarı virâne bir hamam zaten ne işe yarayacaktı! Müteahhidin bu suale cevap verebilmesi için Galapagos Adaları'nı bir ziyâret etmesi gerekiyordu ama, coğrafya ve yol yordam bilmemek onun kabahati değildi. Evet! Hamam galiba bir işe yaramayacaktı. Ama iş hanı ve getireceği para öyle değildi: İşte o virâne hamam, bu paraya dönüşecekti. Vicdanı olan herkes, 400 senelik hamamın ve yarım asırlık servilerin değil, darphanede 4 saniyede basılan bir deste gıcır gıcır banknotun daha fazla kıymet taşıdığına kalıbını basardı!

Serviler ve hamam alevler içinde yanadursun, sabah ezanına az zaman kala taksi şoförü İdris Âmil Hazretleri'ni Kasımpaşa'daki evinin tâ önüne kadar götürdü. Pederi ve dedesi kapıda bekliyordu, ama Dayı ortalıkta yoktu. Efendimiz içeri girdiğinde, oğulcuğu Yaşar'ı sedirde uyurken, Dayı'yı ise masa başında, Kahire istasyonuna ayarlı o lambalı radyodan feryat eden Ümmü Gülsüm'ü dinlerken gördü. Omuzuna çaprazvarî astığı dimağ kontrol cihazının zili durmadan çalıyordu. İdris Âmil Hazretleri Dayı'nın cihazını ayarlamaya yeltendiğinde, bu işin zaten yapılmış olduğunu fark etti: İlk düğme 'karasevda' kademesine getirilmiş, ikincisi ise sonuna kadar döndürülmüştü. Öyle ki, ampermetrenin ibresi, kadranın yeşil tarafını terk edip kırmızının sonuna dayandığına göre, adamcağızın beynine cihaz tarafından zaten kâfi miktarda cereyan gönderilmekteydi. Tuhaf şey! Ama o da ne! Masada dördü boş, tam beş bira şişesi vardı! Üstüne üstlük, ağlamış olacak ki dayıcığın gözleri kırmızı kırmızı olmuş, 25 mumluk ampulün anca aydınlattığı suratına bir efkâr çökmüştü. Bira şişeleri yanı sıra masada, şoförden kopartılan 45 lira da vardı. Dayıcık o hâliyle ikide bir, "Bu yetmez ki!" diyor, ardından da şişeyi ağzına dayayıp birayı lıkır lıkır içiyordu. Lambalı radyo uzun dalgada olduğu için, Ümmü Gülsüm'ün o hisli ve cânhırâş şarkısı, sanki kâh uzaklaşıp tâ Kahire'ye gidiyor, ve kâh yaklaşıp odayı doldurarak gönülleri kebap eyliyordu. Oparlörden gelen parazitli seda uzaklaştığında dayıcığın gözünden bir iki damla yaş süzülüyor, ancak nağme yeniden vâsıl olduğundadır ki, elinin tersiyle yaşlarını şöyle bir silmeyi akıl eyleyebiliyordu. Neler olup bittiğini pek anlayamayan Efendimiz, elini adamcağızın omuzuna değdirir değdirmez dayıcık masaya kapandı ve "Ah Muallâ!" diye hüngür hüngür ağlamaya başladı. Anlaşılan bu öyle bir karasevdaydı ki, ateşi cihazın verdiği cereyanla söndürülemezdi. Bu esnada 45 lirayı elinin tersiyle itmiş ve yine, "Bu kadarı yetmez ki!" diye sızlanmaya başlamıştı. Bunun üzerine Efendimiz, "Kazık yeme dayı, Abanoz Sokak'ta âlâsı 45 değil, 5 lira!" deyince, adam başını ağır ağır kaldırdı, yine yerinden âheste âheste doğruldu ve sabırla, yavaş yavaş masadaki ekmek bıçağına uzanmaya başladı. Bir yandan da, öfke kıvılcımlarının kıvıl kıvıl kıpraştığı kızıl gözleriyle İdris Âmil Hazretleri'ne bakıyordu. En nihayet bıçağı ansızın, kuvvetle kavrayıverdi! Dayısının fena niyetini hemen anlayan Efendimiz sokağa kaçarken, arkasından adam şöyle bağırıyordu:

"Müstakbel yengene milyon yetmez! Duydun mu deyyûs!"

Evet! Yetmiyormuş gibi bir de Dayı'nın âşık olacağı tutmuştu. İşin kötüsü, adamın ağladığına bakılırsa bu, karşılıksız bir aşktı. Dayı'dan korkup yalınayak kaçan Efendimiz evin önünde beklerken kapı gıcırdayarak açıldı ve Dayı göründü. Arkasından o 25 mumluk ampulün ışığı sızıyor ve adam epey korkunç görünüyordu. Gel gör ki elinde bu sefer bıçak mıçak yoktu ve, "Şşşşt! Gel, bir şey yapmayacağım," diyordu. Bir iki duraksadıktan sonra İdris Âmil Hazretleri büyük bir hata yaptı ve içeri girdi!

Dayısı Efendimiz'in koluna sımsıkı yapışıp ona bir yandan mâşûkası Muallâ'yı anlata anlata bitiremiyor, bir yandan da içini çeke çeke ağlıyordu. İşin daha da kötüsü, derdi depreşip aşk azâbı bileğine daha bir kudret verdi mi, Efendimiz'in kolunu daha bir tazyikle sıkıyor, hele hele şiddetli bir ağlama nöbetine tutuldu mu kavradığı kola kan oturtuyordu. Ama en fenası, kolu bırakacak gibi hiç değildi! Aşkı için ağladığı esnada, ara sıra ağzının kenarından salyası, sık sık da sümüğü akıyor ve arada bir, burun deliğinde bir sümük balonu şişip şişip patlıyordu. Kısacası adam, gerdek gecesine sakladığı ifrâzât dışında, tüm diğerlerini o anda salgılıyordu. Daha daha kötüsü, anlattığına bakılırsa gerdek merdek de hayaldi! Çünkü Aksaray'da ikamet eden kız tarafı, kırmızı Amerikan arabalı damat istiyordu. Dayı tarafından kavranan o mübârek kol epey bir morarıp karıncalanmaya başladığında söz hâlâ nihayet bulmamış, hava kararalı çok olmuş, hattâ akşam ezanı okunmaya başlamıştı.

Gözlerinden artık yaş yanı sıra uyku da akan Dayı, "Ah! Muallâ!" diye bir nidâ koyuvermesinin akabinde masaya kapandı ve sızıverdi. Efendimiz kolunu ovuştura ovuştura kapıya yönelip kunduralarını da ayağına geçirdikten sonra sokağa fırladı ve rahat bir nefes aldı. Geçen gece hiç uyumadığı için gözleri kapandı kapanacaktı. Gel gör ki, kendisi için hamam kundakladığı müteahhit onun kafa kâğıdına el koymuş ve bu da hiç hayırlı olmamıştı. Derhal Aksaray'a bir varıp, adamın evine gizlice girerek bu kafa kâğıdını geri alsa iyi olacaktı. Ama bu iş sabahın dördünde olacak bir şeydi ve daha dünya kadar zamanı vardı. Bu nedenle vakit geçirmek için Ümmü Gülsüm Kıraathânesi'ne vardı. Başlarında Hoca olduğu hâlde, Sanatkâr Müellif Kursu'nun talebeleri, çoktan yerlerini almış içeride bekliyorlardı. İdris Âmil Hazretleri kıraathâneye girince birkaç yareni ona selâm vermiş, yanlarına buyur etmişlerdi. Kesif tütün dumanı sebebiyle pencerelerden biri açılmıştı. O geceki dersin misafiri henüz gelmiş değildi. Zaten bu kaide bütün mühim misafirler için geçerliydi. Gemilerde boylam tespitine yarayan hassas kronometrelerin aksine bu şahısların saatleri, her ne kadar İsviçre imalâtı olsa da, zaman denilen şeyi, ziyânın süratine izâfeten değil, onların keyiflerine izâfeten yavaş yahut hızlı akıtır, randevulara para ve itibar kokusu alındığında erken, zahmet ve külfet kokusu alındığında da geç gelinirdi. Çünkü koskoca bir kasabadan ibâret memlekette yegâne sâbite, ziyânın sürati değil, mühim şahısların keyfiydi. Zaten memleket ahalisi sâbite olarak asırlardır, fizik ilmindekileri değil de, çoğu birer fuhrer olan sultanların buyruklarını görmüş ve bunları vazgeçilmez belleyip dünyalarını ona göre inşâ etmişlerdi. Ama yine de, belki böyle düşünenleri utandırmak için olsa gerek, mühim misafir çok çok fazla geç kalmamıştı. Bir profesördü bu zât.

Ancak bu sırada kapıda beklenmedik bir şahıs zuhur ediverdi! Efgan Bakara'ydı bu. Yaşadığı hâdiselerden olsa gerek, kaşalotzâdenin suratı çarpılmış, üstü başı az buçuk perişan olmuştu. Bukleli sarı saçları epeyce bir bakımsızdı. Belli ki enayinin benliği tükenmiş, bakımını bu sebepten biraz ihmal etmişti. Zaten ruhî bakımdan da sıkıntıları yok değil miydi? Buraya gelirken bir su birikintisine bastığından olsa gerek, içeriye girdiği esnada attığı her bir adımda, ayakkabılarının içine girmiş su, tabanlarındaki deliklerden vıck vıck sedalarıyla zemine fışkırıyor, yerde 41 numara izler bırakıyordu.

Kaşalotzâdeyi görünce Hoca, "Ben sana bir daha buraya gelmeyeceksin demedim mi!" diye bağırdı. Ardından, senelerini ilim tahsil etmeye vermiş bir profesör olan o mühim misafir beye dönerek, "Kusura bakmayınız, kendisi mecnûndur. Başımıza musallat oldu. Merak etmeyiniz. Hemen çıkarırız," demişti. Zaten daha lâfını bitirir bitirmez iki talebe, Efgan Bakara'nın kollarını kavrayıp onu sürükleye sürükleye kapıdan attılar. Bu esnada profesör bey, bu aksiliğe karşı yüzünde bir tebessümle çantasını açmış, konuşma metnini çıkarmıştı. Anlaşılan o ki bu saygıdeğer beyefendi, sanat ve edebiyat teorisi, ayrıca ilim tarihi mütehassısıydı. Bu hâliyle tam bir âlim sayılırdı, çünkü hayatı boyunca birçok lisandan sayısız roman ve şiir kıraat etmiş, âdeta teşrih masasına yatırıp bunların her birinin de tahlilini yapmıştı. İş bununla da kalmamış, dünyanın dört bir yanındaki müzelere gidip ressamların ve heykeltıraşların eserlerini bir bir incelemişti. İşte bu beyefendi, talebeler içinde kılığı kıyafeti düzgün, aklı başında ve realist görünümlü olan herkesi şöyle bir süzüp takdir sözleriyle onları teker teker onore etti. Talebeler zaten böyleydi yahut en azından böyle olmaya çalışıyorlardı. Gayet ağırbaşlı görünen profesörün dediğine bakılırsa, hakikî sanatçı realiteden kopmazdı. Daha doğrusu o, kendi devrinin şahidiydi. Fakat beyefendi bunları söylerken bir çatlak ses işitiliverdi.

Efgan Bakara denilen enayi, duman dışarı çıksın diye açılan pencereden başını içeriye uzatmış, kekeleye kekeleye ve utanmadan, 'Jül Sezar' oyununu 16. asırda yazarken Şekspir'in kendi devrine mi şahit olduğunu soruyordu! Ayrıca tarihçiler de kendi devirlerinin mi şahidiydiler! Kaşalotzâde bir de utanma sıkılma bilmeden beyefendinin, lumpen realist olduğunu söyleme cüretini göstermişti. Bunun üzerine Hoca, pencereye yaklaşıp, "Defol!" diye bağırdı. Hattâ bir talebe dışarı fırlayıp Efgan Bakara'yı elli metre kadar kovaladıktan sonra geri dönmüştü. Profesörün canı sıkılmış gibiydi. Nitekim, "Burada deliler olacağını bilseydim gelmezdim," deyince, özür üzerine özür sıraladı. Profesör haklı gibiydi. Çünkü o, bu memleket, Lort Bayron, Nikelanj, ağlargüler Şarlz Dikınz, yine onun gibi terelelli olan Biridelik Niçe ve İshak Nefton gibi delilere değil, esnafın alaya aldığı türden mahalle delilerine âşinâydı. Efgan Bakara delisinin kovulduğu da iyi olmuştu. Çünkü hayatın tekdüze ve teksesli bir musikî gibi aktığı, sürprizler, şaşırtmacalar ve geniş interval sıçramalarıyla tatlı huzurlarının bozulmasını istemeyen miskin insanların yaşadığı bir yerde, ne yapacağı kestirilmez delilere, kısacası yeniliklere ihtiyaç yoktu. Zaten bu miskin ve standart insanlar, kuyruk sokumundan gri hücrelere uzanan biyolojik evrimin ortalarında bir yerdeydiler. Bu yüzden kaşalotzâdenin cemaatten aforoz edilmesi yerindeydi. Ama neyse! Belâ savuşturulmuştu ya! Hem epey bir gülmüşlerdi de. Derken beyefendi, edebiyat teorisi faslına geçti. Ardından da, güzel bir romanın nasıl olması gerektiğini anlatmaya koyuldu. Adamın tavsiyesine uyulsa, gerçekten de ortaya güzel bir roman çıkar ve piyasa birbirinden farkı olmayan, güzel, ama şahsiyetsiz romanlarla dolardı. Adam bir de, romanda 'karakter' olması gerektiğini söylüyordu. Ne var ki, bir romanda Raskolnikov, Madam Bovari, Prens Mışkin gibi güçlü karakterlerin olmaması, belki de bizzât kendisi güçlü bir karaktere sahip bir romancının, fânilerle bir Zeus gibi eğlenme arzusundan kaynaklanmaktaydı. İşte bu romancı, Servantes o Şövalye'yi nasıl maskara ettiyse, kendi eserinde o cesur, o güçlü, o trajik ve, bir arabayı omuzlayıp kaldıracak kadar erkeksi kahramanı, yani Jan Valjan'ı, hemcinsine meyilli bir hanım kılığına sokup bu iyi kalpli şahsiyeti Lez Biyen Sefiller içine de, itin kıçına da sokabilirdi. Bu romancı, eserin çatısı, merkezi, kurgusu, karakter tahlili, derinliği, bütünlüğü yahut toparlaklığı gibi bakkal hesaplarını kafasına takıp keyfini heder etmezdi. İyi romancı, Yaroslav Haşek'in dilindeki 'robot-nik' ve Nikolay Vasilyeviç Googol'un dilindeki 'rabo-çi'nin karşılığı olan ve midesi yerine egosunu doyurmak için kelimeleri robot gibi birbirine, tornavida ve itina ile monte eden bir 'işçi' değil, kendi eserindeki kanlı canlı tek karakter, rakipsiz patron ve yegâne ilâhtı. O, 'Bir' idi ve eserinde 100 kahraman bile olsa hepsi, onun sağındaki sıfırlardan, âdeta gösterişli ama ölü canlardan ibâretti. Ama neylersin ki beyefendi böyle düşünmüyordu. Adam yanılıyor da olamazdı. Gayet muhtemel olduğu gibi, eğer haklıysa, ideal roman denilen şeye, aslında 'örfî roman' demek münasip kaçardı. Adamın 'edebiyat teorisi' dediği de belki, teori falan değil, çorak zihinlerindeki güdük ürünleri hasat eden çiftçi-romancı serflerin tâbi olduğu ve uğruna, boğaz yerine afi kesip böylece boğaz doyurduğu, tam bir 'edebiyat töresi' idi.

Ders bitip Ümmü Gülsüm Kıraathânesi'nden o karanlık ve soğuk sokağa çıktıklarında, tâ ileride bir köşeye sinmiş Efgan Bakara'yı gördüler ve İdris Âmil Hazretleri ona doğru haykırdı:

"Hüüüüüüüüüüüüüüüp! Jjjjjjjjjjjjjjjjt! Nah-ha!"

Derken hep birlikte alay ede ede onu sokak boyunca kovalamaya başladılar. Kaşalotzâde de kaçıyordu. Ancak epey bir kovalandıktan sonra, yoldaki bir su birikintisinin üzerine 'şaaap!' diye kapaklandı; eprimiş, ama her gün ütülediği kıyafeti bu yüzden çamur içinde kaldı. Dizini fena çarpmış olmalıydı ki, bir yandan topallamasına rağmen, eskisi kadar hızlı koşup doğal ve içtimaî düşmanlarından kaçmaya başladı. Kovalayan gürûh bir yol ayrımına geldiğinde enayiyi gözden kaybetmişlerdi. Bu yüzden iki iki ayrılıp farklı so-

kaklara dalıp saparak Efgan Bakara'yı aramaya devam etti-
ler. Efendimiz hem var kuvvetiyle koşuyor, hem de enayiyi
düşünüp kıkır kıkır gülüyordu. Gel gör ki, yine bir yol ay-
rımına rastladılar. İdris Âmil Hazretleri pek talihsiz olarak,
uğursuz yön olan sola saptı. Gözlerinden yaş geldiği hâlde
hem kıkırdıyor ve hem de koşuyordu! Nefes nefese kaldı-
ğında, arkasından bir motör gürültüsü işitti. Bagajında hır-
sız çocuğun hâlâ uyumakta olduğu taksi, usûlca yanına ya-
naşmış ve duruvermişti. İçinde şoförden başka, Efendimiz'e
göz kulak olacak ve onun asâletnâmesini imzalama salâhati-
yetine sahip kıdemli vardı ve gözleri onun üzerindeydi. Kı-
demli hırsız İdris Âmil Hazretleri'ne eliyle 'gel' işareti yapın-
ca, o da taksiye binmek zorunda kaldı. Tâyin edildiği mıntı-
ka olan Aksaray'a gideceklerdi. Bu da zaten, Efendimiz'in ca-
nına minnetti. Çünkü kafa kâğıdına el koyan müteahhidin
evi buradaydı. İşte bu, gayet mühim bir meseleydi. Zaten ka-
fası olan herkes, kafa kâğıdını kaybetmenin, kafayı kaybet-
mekle aynı olduğunu bilirdi.

Aksaray'da o sokağa geldiklerinde Efendimiz bir aşağı bir
yukarı dolaşıp hedef bellediği evde ışığın sönmesini bekledi.
Uykuya dalmaları bir saat, rüya görmeye başlamaları da bir
yarım saat alırdı. İdris Âmil Hazretleri böylece sabaha kar-
şı saat 3 sıralarında kapıyı maymuncukla açıp içeri girdi ve
gözleri karanlığa alışana kadar bekledi. Ardından sağa sola
bakındı. Değerli eşyalar genellikle yukarıda, yatak odasında
saklanırdı. Basamakları pek gıcırdatmamaya dikkat ede ede
merdiveni tırmandı. Biri sağda ve diğeri solda iki kapı gö-
ründü. Efendimiz yine uğursuz istikameti seçerek soldakine
yöneldi. Ancak mandalı kaldırıp kapıyı açar açmaz, beynin-
de o anda peydâhlanan Himalaya büyüklüğünde zifir karası
bir felâket bulutundan çakıveren ölümcül bir şimşek benli-
ğini kavurup kor ve köz eyledi!

Hoppala! Odada, her bir kalçası traktör lastiği kadar şişirilmiş, bacakları bir erkeğinki kadar kıllı, kalın kaşları kanat açmış kapkara bir koca karga gibi bitişik bir kız, yarı çıplak ve yüzüstü yatağa yatmıştı. Herhalde bel ağrısından uyuyamamıştı ki, koca kıçının her bir lobunda, içinde ispirtolu pamukların yandığı iki dev turşu kavanozu ile, kendisine kupa çekiliyordu. Turşu kavanozlarının içinde ağır âheste yanan ispirto alevi havayı tükettiğinden, kızın kıçının iki lobunun en azından üçte biri hemen hemen morararak, hâlihazırda kavanozun ağzından içeriye emilmişti. Kalan üçte biri bir kocayı idare eder, ama üçte ikisi ise iki kocayı birden evden kaçırırdı.

Derken, oda ve evin tamamı cânhırâş bir çığlıkla inim inim inledi. Ama kupa çekilen hanım değil, onun ahû bakışlı, kiraz dudaklı, servi boylu o güzel kız kardeşi çığlığı basmıştı. Efendimiz dönüp bu âfete baktığında kalbi heyecandan değil, bu kez aşktan atmaya başlamıştı. Gönül coşkusunun epey belerttiği gözlerini, bu güzelin elâ gözlerinden ayıramıyor, kulakları aşktan sağır kesildiği için onun attığı çığlığı işitme zevkinden bile mahrum kalıyordu. O anda gönlünün Hazreti İbrahim gibi saf ve temiz olduğunu hissetti. Hattâ burnuna güzel bir koku da gelmekteydi. Makam-ı İbrahim kokusuydu bu! Giderek daha da kuvvetleniyordu. Neden sonra bunun, seyyâr esansçıların camekânlı tahta kutular içinde sattığı alkolsüz esanslardan olduğunu anlar gibi oldu. Derken, kokuyu en şiddetli hissettiği anda, güçlü ve irice bir şişman el ensesinden Efendimiz'i kavrayıverdi. Kızların babası olan o müteahhitti bu şahıs. Tüh!

Ardından o gösterişli ev, kız çığlıkları yanı sıra, çarpılan tokatların şaplamaları, tekme ve yumrukların yol açtığı âhu vâhlar, 'ırz düşmanı,' 'namussuz,' 'iffetsiz' nidâlarıyla inlemeye başladı. Bu ameliye, müteahhit yorulana kadar, yani bir saat müddetince devam etti. İdris Âmil Hazretleri yere yığıldığında, nefes nefese kalan müteahhit, odadan çıktıktan iki dakika sonra, elinde paslı, kocaman ve kör bir testereyle içeri girdi ve Efendimiz'i yüzüstü yatırıp testereyi ensesine dayadı. Bir yandan da, "Yüzünü erkek yüzü görmemiş, eline erkek eli değmemiş kızım Dilârâ'nın kıçını gördün. Seni sağ korsam sağda solda anlatır, namusumu iki paralık edersin! Bu yüzden şerîaten katlin vâciptir! Oh olsun!" diye bağırıyordu. Bu arada şişman kız tam, "Ay baba! Yerleri kirletirsin!" diye mırıldanmıştı ki, Efendimiz yalvar yakar olmaya başladı: Can korkusuyla ağlaya sızlaya dediklerine bakılırsa, sırf adı kötüye çıkmasın da kötü yola düşmesin diye kıza nikâh kıymaya hazırdı. Zırlaya zırlaya bir de, müteahhidin torun sahibi bir dede olmasını, bizzât kendisinin de cân-ı gönülden arzu ettiğini söylüyordu. Çok geçmeden bu yakarma tesirini gösterdi. Müteahhidin yüreği yumuşar gibi oldu. Efendimiz'e, yani müstakbel damadına ismini, nerede ikamet ettiğini, vâlide ve pederini sordu. Ancak ne tuhaftır ki, Dayı'nın ismini işitince sevinir gibi olmuştu. Bir yandan da kurnaz kurnaz gülümsüyor, anlaşılan 61 numara kafasında kırk değil, 61 tilki döndürüyordu. Efendimiz'e Dayı ile ilgili uzun uzadıya sorgu sual etti. Hattâ adamın pabuç numarasını, sabahları kenefe saat kaç gibi çıktığını, yarenlerini, yarenlerinin arkadaşlarını bile sordu. En nihayet sabaha karşı müteahhit İdris Âmil Hazretleri'ne şunları söyledi:

"Kafa kâğıdın bende. Yerini yurdunu zaten biliyorum. Artık hayırlı bir damat namzedi olarak kayınpederinin avucunun içindesin. Tabiî, kızımla evlenebilmen için ananelerimize göre bir başlık parası ödemen icap eder. Bunu sonra konuşuruz. Ama şurası kesin ki 20.000 liradan aşağısı kurtarmayacaktır. Eğer başka biriyle evlenirsen, yahut evliysen, kör testere hazır bekliyor. Kafanı keser, elimin kanını da senin kafa kâğıdınla silerim!"

Efendimiz o anda, evden kaçan hanımı Remziye'yi ve Yarma İskender'i düşündü. Korkudan zangır zangır titremeye başlamıştı. İki sıkışıkta bir başka mesele ise, içindeki kıdemli hırsızla kendisini sokakta bekleyen taksiydi. Bu meslekte, girilen evden boş çıkmak olmazdı. Bu yüzden müteahhitten, doğru yola dönmek için Kur'ân-ı Kerim okumaya kalben ihtiyacı olduğunu, duvara asılı şu Mushaf'ı, sakıncası yoksa kendisine bir vermesini rica etti.

Adam gevrek gevrek gülüyordu. "İstediğin Mushaf'ın manevî değeri gayet fazladır, çünkü onu bana mahalle mescidinin müezzini hediye etmişti," dedikten sonra mahfazası içinde Mushaf'ı duvardan aldı ve sandığı açıp elinde bir de senetle gelip Efendimiz'in yanına oturdu. Damga pulunu şapırtıyla yalayıp senede yapıştırdı. Boş kısımları doldurdu ve senede, Mushaf'ın manevî değerinin faizi ile birlikte yekûn olarak tam 'otuzdörtbindörtyüzseksendört' lira yazdıktan sonra İdris Âmil Hazretleri'ne uzattı. Bir yandan da, ses etmeden ikide bir salladığı başıyla kör testereyi işaret ediyordu.

Takside bekleyen hırsıza, bu fıkara evinde anca bir Mushaf bulabilip, ardından öpüp başına koyduğunu söyleyen Efendimiz, hâsılâtı adama teslim ettikten sonra Kasımpaşa'ya yollandı. Perişan vaziyette tam bir hafta yataklarda yattı. Bu esnada evde ne olduğunu anlamadığı, anlamaya çalışmaya mecâlinin de olmadığı bir curcuna, bir hayhuy sürüp gidiyordu. En başta Dayı, kâh bahçede kâh sokakta bir işlerle uğraşıyordu. Kim bilir? Belki de, hem Muallâ'sını hem de aşk derdini unutmuştu. Ancak Efendimiz bir hafta sonunda ilk kez sokağa çıktığında bunun doğru olmadığını anlayıverdi. Evlerinin önünde, 500 cc'lik motörüyle, 1933 model külüstür bir Moto Guzzi triportör bekliyordu!

Zaten küçük olan kasası, içine anca bir adamı alacak şekilde, arkası hariç üç bir yandan kontrplakla derme çatma kapatılmış, üstüne de bir sac tavan uydurulmuştu. Triportörün önündeki tabelaya yeşil boyayla BİZİM KÖFTECİ ibâresi yazılmış, yazının sağına bir kırmızı kalp, soluna ise yine kırmızı bir gül nakşedilmişti. Köfteciliğe heves eden Dayı, kasanın içine bir de kömür ocağı uydurmuştu. Bu ocak, köfte pişirmenin yanı sıra, çay demlemeye, çorbayı sıcak tutmaya, sâlep güğümünü kaynatmaya da yarıyordu. Kasanın sağı ve soluna, ayakta değil de konfor içinde yesinler diye müşteriler için minnacık tabureler ve yine onlar kadar küçük sehpalar, iplere geçirilip muntazaman bağlanmıştı. Öyle ki, bir zâbıta baskınında iki üç dakika içinde toparlanıp o tehlikeli mıntıka derhal terk edilebilirdi. Ayrıca triportör kasasının tavanındaki, sağlı sollu açılabilen tenteler de müşterileri yağmur ve güneşe karşı muhafaza edebiliyordu. Bu seyyâr köfteci dükkânının iki yanındaki küçük kepenkler aşağı indirildi mi, aynı zamanda kap kap sütlaç ve zerdenin müşteriye teşhiri için münasip bir zemin de oluyorlardı. Çorba, sütlaç ve zerde, konu komşudan toplanan ve don, fanila, bebek bezi ve sâir çamaşırı kaynatmak için kullanılan kazanlarda pişiriliyor ve tatlılar plastik kaplara dökülüp soğumaya bırakılıyordu. Bir kazan mercimek çorbası bir hafta idare etmekteydi. Köfteyi, Efendimiz'in vâlidesi yoğurmakta, aynı zamanda kadıncağız sabahtan akşama kadar kömürleşene kadar kavrulmuş nohut ile kahve de öğütmekteydi. Dayı'nın ise gözleri sevinçten ışıl ışıldı. Gönlünü kaptırdığı o Aksaraylı kızın kendine varması için lüzumlu parayı tez zamanda biriktireceğine kalıbını basıyordu. Elden aldığı triportörün kalan borcu ise hava idi. Hakikî bir müteşebbis, bir iş adamı olarak, günlerce düşünüp zengin olmanın sırrına ermişti! Hattâ bu sırrı yazıp sandığa kilitlemişti bile. Vefatından sonra zürriyetine intikal edecek bu sır sayesinde sülâlesinde kimse aç kalmayacaktı. Doğrusunu söylemek gerekirse Dayı, bir kitapçık yazmıştı! Gerçi lokanta menüsü edebî bir tür sayılmazdı ama, hatalarla dolu kitapçık, aşağı yukarı şöyle bir şey olmalıydı:

# FAKİRLİK SINIRINDAKİ KAPİTALİSTLER İÇİN
## MENÜ

### Başlangıç

#### Mercimek Çorbası

Tarif:

| | | |
|---|---|---|
| 750 gr. | nohut | 4 kuruş |
| 250 gr. | sarı mercimek | 2 kuruş |
| 100 gr. | don yağı | 0,4 kuruş |
| | Tuz-baharat | 0,1 kuruş |
| 9 litre su | | -- |
| | Odun kömürü | 1 kuruş |

| | |
|---|---|
| 50 kâse çorba | 7,5 kuruş. |
| 1 kâse çorba maliyeti | 0,15 kuruş |
| 1 kâse çorba satış | **15 kuruş** |
| **100 KAT KÂR** | |

### Ana yemek

#### Köfte

Tarif:

| | | |
|---|---|---|
| 500 gr. | bahar eti | 3,5 kuruş |
| 500 gr. | sığır kafa eti | 0,5 kuruş |
| 1000 gr. | soğan | 0,5 kuruş |
| 2 adet | ekmek | 1,5 kuruş |
| | Odun kömürü | 1 kuruş |

| | |
|---|---|
| 2 kg. köfte (yaklaşık 140 parça köfte) | 7 kuruş |
| 1 porsiyon (10 köfte) | 0,5 kuruş |
| 1 porsiyon köfte satış | **50 kuruş** |
| **100 KAT KÂR** | |

### Piyaz

Tarif:

| | | |
|---|---|---:|
| 1000 gr. | kuru fasulye | 6 kuruş |
| 500 gr. | soğan | 0,25 kuruş |
| 250 gr. | pamuk yağı | 0,5 kuruş |
| | Odun kömürü-sirke-vs... | 1 kuruş |

| | |
|---|---:|
| 50 porsiyon piyaz (yaklaşık) | 8 kuruş |
| 1 porsiyon piyaz maliyeti (en fazla) | 0,2 kuruş |
| 1 porsiyon piyaz satış | **20 kuruş** |
| **100 KAT KÂR** | |

### Yoğurt

Tarif:

| | | |
|---|---|---:|
| 500 gr. | süt | 0,5 kuruş |
| 500 gr. | su | --- |
| | Domuz jelatini | 0,5 kuruş |
| | Kalsiyum sülfat (tebeşir) | --- |

| | |
|---|---:|
| 1 kg. yoğurt (10 kâse) | 1 kuruş |
| 1 kâse yoğurt maliyeti | 0,1 kuruş |
| 1 kâse yoğurt satış | **10 kuruş** |
| **100 KAT KÂR** | |

## Tatlılar

### Zerde

Tarif:

| | | |
|---|---|---:|
| 15 litre | su | --- |
| 1 kg. | nişasta | 2 kuruş |
| 500 gr. | kırık pirinç . | 0,5 kuruş |
| 1 litre | sentetik gülsuyu | 1 kuruş |
| 2 kg. | şeker | 5 kuruş |

| | |
|---|---|
| Kaynatma masrafı | 1 kuruş |
| Zerdeçal | 0,5 kuruş |

| | |
|---|---|
| 100 porsiyon zerde | 10 kuruş |
| 1 porsiyon zerde maliyeti | 0,1 kuruş |
| 1 porsiyon zerde satış | **10 kuruş** |
| **100 KAT KÂR** | |

## *Fırın Sütlaç*

Tarif:

| | | |
|---|---|---|
| 2 litre | su | --- |
| 2 litre | süt | 2 kuruş |
| 2 kg. | şeker | 4 kuruş |
| 1 kg. | kırık pirinç | 1 kuruş |
| 1 kg. | nişasta | 2 kuruş |
| | Kaynatma–tebeşir tozu | 1 kuruş |

| | |
|---|---|
| 100 porsiyon fırın sütlaç | 10 kuruş |
| (kâselere boşaltıldıktan sonra üzerine mavi ispirto dökülüp yakılır) | |
| 1 porsiyon sütlaç maliyeti | 0,1 kuruş |
| 1 porsiyon sütlaç satış | **10 kuruş** |
| **100 KAT KÂR** | |

## *İçkiler*

## *Sâlep*

Tarif:

| | | |
|---|---|---|
| 2 | litre süt | 2 kuruş |
| 6 | litre su | --- |
| 100 gr. | domuz jelatini | 1 kuruş |
| 200 gr. | tarçın | 1 kuruş |
| 2,5 kg. | şeker | 5 kuruş |

|                            |            |
|----------------------------|-----------:|
| Kaynatma maliyeti          | 1 kuruş    |
| Tebeşir tozu               | ---        |

|                            |            |
|----------------------------|-----------:|
| 100 fincan sâlep           | 10 kuruş   |
| 1 fincan sâlep maliyeti    | 0,1 kuruş  |
| 1 fincan sâlep satış       | **10 kuruş** |

**100 KAT KÂR**

### Kahve

Tarif:

|            |           |          |
|------------|-----------|---------:|
| 750 gr.    | nohut     | 3 kuruş  |
| 250 gr.    | kahve     | 4 kuruş  |

|                            |              |
|----------------------------|-------------:|
| 1 kg. kahve (100 fincan)   | 7 kuruş      |
| 1 fincan kahve maliyeti    | 0,07 kuruş   |
| 1 fincan kahve satış       | **7 kuruş**  |

**100 KAT KÂR**

### Çay

Tarif:

|            |            |          |
|------------|------------|---------:|
| 900 gr.    | çay sapı   | 1 kuruş  |
| 100 gr.    | kaçak çay  | 8 kuruş  |
| 3 kutu     | kesme şeker| 15 kuruş |

|                            |              |
|----------------------------|-------------:|
| 500 çay maliyeti (yaklaşık)| 25 kuruş     |
| 1 bardak çay maliyeti      | 0,05 kuruş   |
| 1 bardak çay satış         | **5 kuruş**  |

**100 KAT KÂR**

*ETLERİMİZ ERZURUM YÖRESİNDEN*
*GELMEKTE OLUP MÜESSESEMİZDE*
*EKMEK BEDAVADIR*
*ÂFİYET OLSUN*

Gayet haklı olarak zenginlik hayalleri kuran Dayı, umumiyetle gözleri parlamasına rağmen, arada bir yeise kapılıp zaman zaman dalıp gitmiyor değildi. Çünkü kendisi gibi epey bir seyyâr satıcı vardı ve bu namussuzlar, yaptığının haksız rekâbet olduğunu ve yemeklerindeki kaliteyi düşürmesini, yani hem fiyatların yüksekliği ve hem de kalitenin düşüklüğünde anlaşıp bir kartel oluşturmayı talep ediyorlar, zaten yemeğe az da olsa hile katmazsa, pek yakında iflâs edeceğini söylüyorlardı. Oysa Dayı, üç dört gündür icrâ ettiği köftecilik mesleğinde daha hiç kaliteden tâviz vermiş değildi. Mesleği onun namusuydu. Şerefli ve haysiyetli olması bir yana, art eteğinde namaz kılınası bir öksüz babasıydı da! Öyle ya! Triportörün arkasından ayaklarını sarkıtarak onunla birlikte satış mekânlarına giden tam üç garsonu vardı ki, yaşları 9-10 civarında olan bu kabak kafalı, yalınayak çocuklara her bir çeşit yemeğinden günde üç öğün çıkarıyor, bu yetmiyormuş gibi ayda 100 kuruş maaş da veriyor; ayrıca çocukların, ellerini pantolonlarından içeri sokup makatlarını kaşıdıktan sonra, kendilerine bahşiş vermeyeceklerini hissettikleri müşterilerin yemek ve içeceklerine parmak sokmalarını da görmezden geliyordu. İşte bu çocukların görevi çay kahve dağıtmak, taburelerde oturan müşterilerin sehpalarına köfte-piyaz servis etmek ve dibinde koca koca delikler bulunan o süzgeç misâli kovalara kirli tabak bardak ve çatalları doldurup, saplarından en yakın cami şadırvanının musluklarına astıktan sonra suyu açmak, derken 10-15 dakika sonra gelip artık temizlenmiş hâlleriyle onları triportöre taşımaktı. Aslında bu israf sayılmazdı. Çünkü yemek ve içeceklere konan su, bulaşığa harcanan suya hemen hemen eşitti. Ama şu Amerikan otomobili fikri yok mu! İşte o tam bir israf sayılırdı! Evet! Bir matematik dehâsı olan Dayı, daha bir ayı doldurmadan, 7.000 lira net kâra erişeceğini hesaplamıştı.

Eğer doğruysa bu hesap şöyleydi:

Şehrin nüfusu                    :  800.000 âdemoğlu
Yemeğe verecek parası olanlar :  200.000 efendi
Yolu oraya düşenler              :   40.000 kısmetsiz
Bizim Köfteci'yi seçenler        :    5.000 sâfdil
Kazıklandığını anlayanlar        :    4.400 tövbeli
Devamlı müşteri                  :      600 enayi

Üniversitenin arka kapısından girip, itolojik matematik
tahsil ettikten sonra mezun olup yine arka kapısından çıkan
bu dâhi, kâr hesabını şöyle nihayete erdirmişti:

## GÜNLÜK SATIŞ

| | | |
|---|---|---|
| Çay    | 600 bardak   | 3.000 kuruş  |
| Köfte  | 200 porsiyon | 10.000 kuruş |
| Piyaz  | 100 porsiyon | 2.000 kuruş  |
| Yoğurt | 100 porsiyon | 1.000 kuruş  |
| Kahve  | 200 fincan   | 1.400 kuruş  |
| Sâlep  | 200 fincan   | 2.000 kuruş  |
| Zerde  | 100 kâse     | 1.000 kuruş  |
| Sütlaç | 100 kâse     | 1.000 kuruş  |
| Çorba  | 300 kâse     | 4.500 kuruş  |

| | |
|---|---|
| Yekûn   | 25.900 kuruş |
| Maliyet |    259 kuruş |

| | |
|---|---|
| Günlük net kâr | 25.641 kuruş |

| | |
|---|---|
| Aylık net kâr | 7.692 lira 30 kuruş |

| | |
|---|---|
| Amerikan otomobili | 7.000 lira |

Dayı'nın planı, kırmızı Amerikan otomobilini bir ay sıkı çalışıp satın aldıktan sonra, haftada bir gününü aşka ayırmaktı. İşte o gün de, mübârek cuma günü olacaktı. Cuma sabahı, namazın hemen ardından, otomobilini cami şadırvanında yıkayıp bir güzel parlatacak ve bu gıcır gıcır kırmızı vâsıtayla doğruca Aksaray'daki mâşûkası Muallâ'nın evinin önündeki yolda, tâ akşam ezanına kadar bir gidip bir gelecekti. Allah'tan, kızın evinin yakınında elektrik lambası olan bir direk vardı ve neşrettiği ziyâ da az sayılmazdı. Namazdan sonra Dayı tekrar otomobilinin başına gelecek ve Şevrole'nin başında bir cıgara yaktıktan sonra yavuklusunun evini süzmeye başlayacaktı. Allah nasip eder de kız pencerede zuhur ederse Dayı, eliyle saçını bir sıvazladıktan sonra üstüne bir de bıyık buracak, lâfın kısası, haftaya kalmaz aşkı Muallâ'yı kendine âşık, meftûn edecekti. İşler sözüm ona böyle yürüyecekti ama, 'Akraba akreptir' sözü mucibince, İdris Âmil Hazretleri Dayı'yı kıskanmıyor da değildi. Her şeyden önce adam zengin olacaktı. Zaten daha geçen haftaya kadar Kahire Radyosu'nda Ümmü Gülsüm dinleyen Dayı istasyon düğmesini döndürüp kadrandaki ibreyi, Fokusturot çalan Monako'ya ayarlamıştı. Oysa Efendimiz'in hâli berbattı. Müstakbel bir zengin olan Dayı'nın aksine onun, otuz küsûr bin liralık bir senedin damga pulu üzerinde imzası vardı. Dahası, her bir lobu, kasaba festivallerindeki müsâbakalarda galip gelen dev karpuzlar kadar iri bir kız olan şu Dilârâ ile evlenmek zorundaydı. Aksi takdirde kelle, kızın babası olan müteahhit tarafından kör testereyle kesilecekti. Kısacası Dayı kalkınırken o, bu dünya hayatında madden ve mânen iflâs edecekti. Mânen de iflâs edecek, yani aşkta da kaybedecekti, çünkü eli testereli müteahhidin, o kiraz dudaklı, âhû bakışlı, servi boylu ve âdemoğlunun nazar değdirmemek için bakmaya bile kıyamadığı, dünya denilen gebergâhtaki yegâne efsun olan diğer kızına, daha onu görür görmez çarpılmış, yüreciği aşktan kor, gözü sevdadan kör olmuştu. Bu âfet dururken Dilârâ'ya varmak aşka, dolayısıyla hayata ve tabiata ihanetti. Gelgelelim imza bastığı senet durduğu müddetçe bir hain; üstelik vatan değil, çok daha kötüsü, aşk ve tabiat haini olarak; utanç içinde ve başı öne eğik boş sokaklarda ömrü boyunca gezinmeye mahkûmdu; üstelik tek başına da değil! Hemen yanında dâima, attığı her bir adımda kıç lobları Nelton sarkacı gibi bir sağa bir sola bir gidip bir gelen o müteahhit kızı, yani karısı olacaktı! İşte bu tam bir cezaydı. Yetmiyormuş gibi, bu cezayı çekmesi için bile bir başka ceza ödemesi, yani senette yazılı meblağı Dilârâ'nın pederine uçlanması icap ediyordu. Vâh ki ne vâh! Ne var ki, iş bununla da bitmiyordu! Üstelik Efendimiz evliydi de! Bu nedenle, tekrar evlenmek için zevcesi Remziye'yi boşaması lâzımdı. Ancak Sultanahmet Cezaevi'nde ikamet eden Yarma İskender'in iradesi ile kıyılan nikâhı nasıl iptal edilebilirdi ki? Remziye ile izdivâcını devam ettirdiği müddetçe Efendimiz şeklî de olsa Anadolu Külhânbeyi idi. İşte, İskender boşanma işine bu yüzden hiç de müspet bakmayacaktı. Hadi baktı diyelim! Öte yandan Remziye üstüne gül koklatacak kadın değildi. Bir hanım olarak elbette nikâhlı kocasının üzerinde mutlak hakkı vardı. Boşanma davası açmak, işi avukatlar aracılığıyla hâlletmek de imkânsız sayılırdı. Çünkü Efendimiz'in vekâlet vereceği avukatın daha duruşma günü vurulacağı âşikârdı. Oradan buradan, çile, gaile, dert, sıkıntı, bunalım ve benzeri hislerin, edebiyatçı için epey faydalı olduğunu işitmiş, hattâ bazen okumuştu. Demek, iyi edebiyatçı olmak için hayatın fokurdayan kazanında epey bir kaynayıp pişmek icap ediyordu. Yoksa bir şâir, kısmet olur da neşredeceği eserinin ilk sayfasındaki biyografisine ne yazar, insan içine nasıl çıkardı? İşte böylece Efendimiz biraz alabanda edip, aşk değil de, ıstırap ve gazap şiirleri yazmayı daha münasip görür gibi oldu. Evet, gazap şiiri! Çünkü Monako

Radyosu'ndaki neşeli nağmeleri dinleyip hattâ arada bir kalkıp raks eden, o gözleri ışıltılı Dayı'ya hasetle bakıyordu artık. Çünkü olan bitenler adâlete sığmazdı! İşin kötüsü, Efendimiz'in dişleri gıcırdamaya başlamıştı. Anlaşılan, hislerini Dayı'ya belli etme tehlikesi baş göstermekteydi. Herhalde adamın sevincine ortak olmuş numarası yaparak kıskançlığını saklamak fena olmazdı. İdris Âmil Hazretleri bu nedenle Dayı'ya, müstakbel yengesi Muallâ ile ilgili birkaç soru sormak gibi bir halt etti.

Hay yapmaz olaydı!

Gözleri ışıltılı Dayı'nın anlattığına bakılırsa Muallâ, âhû bakışlı, kiraz dudaklı, servi boylu, âdemoğlunun nazar değmesin diye bakmaya kıyamadığı bir müteahhit kızıydı. Dayı yanlış hatırlamıyorsa Muallâ'nın, galiba Dilârâ diye geçkince bir de ablası vardı. Ailecek Aksaray'da oturuyorlardı.

Zaten nicedir hayat kazanında kaynayan İdris Âmil Hazretleri'nin başından aşağı bu kez, kaynar sular değil, sanki Cehennem zebânilerinin günahkâr kaynattığı kazandan fokur fokur kaynar ziftler boşalıverdi! Efendimiz'in suratı düşmüştü. Onun bu hâlini yanlış yorumlayan Dayı ise bir yandan sırıtıyor, bir yandan da durmadan ve neşeyle, "Şen dayıcığını merak etme. Bu iş olur! Hiç şüphen olmasın. Olmaz deme! Baktın ki, Allah korusun olmadı, işte o zaman Muallâmı başkasına yâr etmem!" gibi lâflar ediyordu. İşin kötüsü, elini beline atıp bir de 7 kurşunlu Brovnik çıkarmış, bu ağır silâhı afi maksadıyla küt diye masaya koymuştu. Dediğine bakılırsa, Muallâ'ya değil baktığını, onu hayal ettiğini hissettiği ilk beş kişiyi vuracak, altıncı kurşunu kıza, yedincisini ise kendi kafasına sıkacaktı.

Yine Dayı'nın dediğine göre, Muallâ'nın babası olan müteahhit hemen yarın, yani mübârek cuma günü tek başına, dünürleri ve tüm aile fertlerini daha iyi bir görmek için evlerine ziyârete gelecekti. Kayınpeder geldiğinde, Efendimiz

Hazretleri'nin de muhakkak onun huzurunda hazır bulunması gerekiyordu. Derken, kısa bir sessizlik cereyan etti. Bu esnada Dayı şarjörü çıkarmış, başparmağıyla mermileri teker teker itip masaya tıkır tıkır yuvarladıktan sonra hepsini avucuna alıp, şarjöre sırayla çat çat yine basmıştı. Silâhı kurup beline sokmasının ardından sol gözünü kapayıp, nişan almak için kâfi gördüğü sağ gözüyle İdris Âmil Hazretleri'ne tehditkâr bir tavırla bakarak şunları söylemişti:

"Yengen olur ha! Ona göre!"

Bu lâf İdris Âmil Hazretleri'nin kulağında yankılandığı için bahçeden gelen nağmeyi işitmesi mümkün değildi. Nağme, dört telli perdesiz bir gitarcıktan, daha doğrusu bilenlerin ukulele dedikleri bir müzik âletinden geliyordu. Hani şu, Efendimiz'in evden kaçıp kötü yola düşen zevcesi Remziye'den olma oğlu; hani şu, günde asgarî bir kilo çiğ kıyma yiyip tez zamanda boy atan; hani şu, kanındaki Rhesüs faktörünün ziyâde olmasından mıdır, artık ne hikmetse, bu kadar kısa müddet içinde 3 yaşındaki çocuk cüssesine erişen Yaşar'ın kucağındaydı o ukulele! Bu âlet eline nereden geçmişti bilinmez, ama doğrusu iyi akort edilmişti. Ahali, âlimlerin keşiflerine, mucitlerin icatlarına itikatta direnç gösterir. Bu tâifenin lâfına başta kulak asmaz ve 'şarlatandır!' der geçer. Farz-ı muhâl, adamın biri 'filân tarihte güneş tutulacak' dese, 'delidir, palavracıdır' deyip omuz silkerler. Ama âlimler tabiatın esrarını çözmeye devam ededursunlar, yalan yok, Efendimiz'in Remziye'den olma oğlu o kıllı Yaşar hakikaten, gayet kısa bir müddet içinde, üç yaşındaki bir çocuk kadar gelişmişti. Bu, palavra malavra değildi! Erkence gelişmek nimet sayılırdı ama her nimetin bir de külfeti vardı. Yaşar önceleri dâima, sonraları ise epey seyrek olmak üzere, yumruklarını yere dayayıp dengesini sağlamaksızın yürümüyordu. Ayrıca, galiba dilsizdi. Bu hâliyle akranı olan çocukların acımasız alaylarına mâruz kalıyordu. Kasımpaşa çocuklarının en büyük eğlencesi, Yaşar'a gece vakti rastladılar mı, suratına tuttukları pilli el feneri ışığıyla zavallıyı karanlıkta tavşan gibi dondurtmaktı. Fener nöbetleşe tutulur, böylece biçare de tâ gece yarısına kadar olduğu yerde, donmuş mıhlanmış olarak, suratına tutulan ışığa boş boş bakardı. Bu muamele onun izzet-i nefsini kırmıyor değildi elbet. Ancak ceviz kadar beyinciğiyle bu meseleyi çözmesi hiç kolay görünmüyordu. Gel gör ki, tekâmül edip akranlarına yetişmesi için aslında bu kadar beyincik bile yeterli sayılırdı! Bu yüzden, Dede'nin kefen parası, yani o parlak ve sarı şeyler Efendimiz tarafından yürütüldüğü için, Yəşar, İdris Âmil Hazretleri'nin vâlidesinin tasarrufunu hedef aldı. Ardından, çıplak vaziyette İstiklâl Caddesi'ne çıkıp vitrinlerden birinde bir bahriyeli çocuk kıyafeti beğendi ve satıcıya bunu gösterip sekiz çeyrek altından alt tarafı birini adama uçlandı. Ertesi günü sokakta, bahriyeli kıyafetiyle az buçuk saygı görür gibi oldu. Fakat neylersin ki, bir hafta geçmeden bu sihir sönmüş gitmişti. Bunun üzerine yine aynı mağazadan bir takım elbise aldı. Biyolojik olarak olamasa bile, moda itibâriyle tekâmül etmek zorunda kaldığından, bir ay sonra, kalan parayla kendine bir cep saati ile kafa hacmini epey büyük gösterecek bir melon şapka almıştı. Ancak bütün bunlar da kâfi gelmiyormuş gibiydi! Ne yapsın! Beyinciği anca bu kadarına yetiyordu. Gerçi kafasında bir melon şapka vardı ama, asla bir fikir olmayacaktı. Bu yüzden, düşünmeden hürmet görmenin bir yolunu bulmalıydı. O kadar âcizdi ki, kader ona acımış ve bir çöplükte karşısına çatlak bir ukulele çıkarmıştı.

Hislerin temelinde fikirlerin olduğu zannı, en azından musikîde doğru sayılmadığı, yahut fikirler hisleri yozlaştırdığı için olsa gerek, bu musikî âletini sevdi. Ama ne gariptir! Allah onu seviyormuş ki, o koca ve kıllı kulaklarına, perdenin değil de bir komanın, dile kolay, onda birini ayırma hassasını vermişti. İşte Yaşar, çok daha sonra, sanatını icrâ ederken bir musikî âlimi tarafından keşfedilecek; kendisine akort vidaları yerine mikrometre takılmış bir gitar hediye edildikten sonra Harika Çocuklar Kanunu ile Kraliyet Konservatuvarı'na gönderilecek, ama o, Karoli, Karkasi, Sor veya Diyabeli çalarken, ışıkta donup kalmasın diye suratına sahnede asla spot tutulmayacak ve dinleyiciler de onun kıllı suratını değil, dâhi müzisyenin anca, esrarengiz siluetini görebileceklerdi.

Dayı, Brovnik'i beline sokup ertesi gün gelecek müteahhit kayınpederi için lokum almaya gittiğinde, İdris Âmil Hazretleri kara kara düşünmeye başlamıştı. O gece tavşan uykusu uyudu. Sabah vakti ise sersem sepelek, aptal avanak beyhûde düşüncelere daldı. Bu dalgın ve karamsar hâli tâ akşamüstüne kadar sürdü. Vâlidesi ve pederi, az sonra gelecek müstakbel dünürleri için çayı demlemişler, bakkaldan kaymaklı bisküvi bile almışlardı. Dayı ise şekerciden ısmarladığı güllü lokumları şekerliğe dizmekle meşguldü. O sırada vâlide, daha evvelki gün aldığı kesme şekeri bir türlü bulamıyordu ve misafire toz şeker çıkarmak olmazdı. İşte bu ânı bekleyen Efendimiz, bir koşu gidip kesme şeker almaya gönüllü oluverdi. Kunduralarını ayağına geçirip derhal sokağa fırladı. Ama gidiş geliş alt tarafı on dakika olan yerden ancak yarım saat sonra gelebilmişti. Kesme şeker kutusu elindeydi ki, bu da zaten, annesinin iki gün önce aldığı şekerin ta kendisiydi. Fakat o hayhuyda bunun fark edilmesi neredeyse imkânsız gibiydi. İşte o sırada kapı çalınınca, ev halkının yüreği güm güm atmaya başladı. Anlaşılan, müteahhit gelmiş, nihayet kapıya dayanmıştı. Efendimiz'in pederi titreye titreye gidip kapıyı açınca afallayıvermişti. Çünkü karşısında, elinde bir yıldırım telgraf zarfıyla postacı peydâ olmuştu. Dayı zarfı çekip alarak yıldırım telgrafı okudu. Kâğıtta şunlar yazılıydı: .

pustakpeld amadım henen anan pabanla
pera balasa kel sizi oreda ben agirlayacagim
yedirecegim icirecegim peni bekletme baska
kimseyig etirme
                kayinbederin

Dayı sevinçten havaya uçmuştu. Vâlide ise, "Ayol! Oraya nasıl gideriz? Kıyafetimiz yok! Bizi içeri almazlar vallâhi!" diye evham ediyordu. Ancak Efendimiz'in pederi, otuz senedir giymediği ve artık kendisine hayli küçük gelen damatlığına, vâlidesi ise sararıp yer yer güvelerce kemirilmiş gelinliğine sığmayı başardı. Dayı'nın beyaz çizgili lacivert takım elbisesi ise zaten üzerindeydi. Müteahhidi bekletip usandırmamak için derhal dışarı fırladılar. Koşar adımlarla Pera Palas'a doğru yürürlerken İdris Âmil Hazretleri'nin yüreği, göğsünü davul tokmağı gibi dövüyordu! Bahçeye çıkıp hem biraz hava aldı ve hem de heyecanını az da olsa yatıştırmaya çalıştı. İçeri girerken, Remziye'den olma oğlu Yaşar'ı da yanına aldı. Heyecanı sürüyordu ama fazla beklemeyecekti. Nitekim on beş dakika sonra kapı çaldı. İdris Âmil Hazretleri, bir Âyetü'l Kürsî okuduktan sonra yürüyüp kapıyı açtı. Müteahhit karşısındaydı.

Adam sırıtıyordu. Pişkin pişkin Efendimiz'e bakarak, "Bre teres! Daha o gece senin burada oturduğunu anlamadığımı mı zannettin? Sen ancak kör testere ve otuz küsûr bin liralık senetle namuslu kesilirsin! Dayını örnek alsaydın, onun gibi helâl para kazanan, helâl süt emip zemzemle yıkanan biri olurdun! Gavat seni!" diye çıkıştı. İkide bir, kör testeresini bilemediğini, hattâ tam aksi, daha bir paslansın diye geceleri suya yatırıp gündüz güneşte kuruttuğunu, çünkü kızının namusunun ancak bu silâhla temizleneceğini söylüyordu. Ancak Efendimiz, korkudan titreyen bacaklarına rağmen, misafiri sedire oturttu ve adama lokum ikram etti. Gel gör ki, adam şekerliği eline almış, güllü lokumları ardı ardına tıkınıyordu. Neden sonra geğirip, "Eeee! Ev halkı nerede?" diye sorduğunda, İdris Âmil Hazretleri, vâlide ve pederinin Dayı'yı, Dürdâne adlı bir hanımefendinin evinden almaya gittiğini, yirmi dakikaya kalmaz geleceklerini söyleyip gecikme için özür diledi. Müteahhit, "Kimmiş bu Dürdâne Hanım, haminnesi mi? Nerede oturuyor?" diye sorunca, Efendimiz de, bu asîl hanımefendinin epey genç olduğunu, muhterem Dayı'nın yakın bir dostu sayılabileceğini, klâs olduğundan dolayı kendisine yüksek sosyeteyi örnek aldığı için kırmızı renkte seçip ısmarladığı bazı süslü ve son derece pahalı çamaşırları satın alıp bu hanıma teslim etmek üzere Dayı'nın, âcilen Abanoz Sokak'a gitmek zorunda kaldığını söyledi. Suratı, azgın boğanın önüne tutulan ateşten bir matador pelerini gibi kızaran müteahhit, "Yoksa bu kadın, damadım olacak deyyûsun kapatması mı!" diye öfkeyle bağırdı. Ancak İdris Âmil Hazretleri, onun bunun arkasından konuşacak biri değildi, bu yüzden sustu. Müteahhit ise ayağa kalkmış, öfkeyle bas bas bağırıyordu. Neden sonra kıyıda ukulelesini çalan Yaşar'ı göstererek, "Ya bu velet! Yoksa senden mi!" Fakat Efendimiz iyi niyetli bir şahsiyetti. Bu yüzden, ukulele çalan çocukcağızın gayrı meşrû olmadığını, Dürdâne adlı, gül desenli kırmızı ipek iç çamaşırlarına şu sıralar kavuştuğu için hakikî bir erkek tarafından mutlu edilmiş asîl hanımdan doğma ve Dayı'dan olma olduğunu söyledi. Üstelik hanımefendiye kapatma demek ayıp olurdu. Çünkü Dayı ile hanımın nikâhını imam kıymıştı. İşte aynı imam, Dayı'nın hem Muallâ ile hem de şerîata göre erkeğin hakkı olan, muhtemel diğer iki talihli kadın ile nikâhlarını kıymak için âdeta yanıp tutuşuyordu. İş bununla da bitmiyor, İdris Âmil Hazretleri ayrıca bir de müjdesini istiyordu: Çünkü kızı Muallâ, Dayı ile henüz evlenmeden, müteahhit hâlihazırda torun sahibi olmuştu!

Müteahhidin suratı, hiçbir ressamın görmediği türden bir kırmızıya büründüğünde, kapı çalınıverdi. Ancak kapıya Efendimiz'den evvel müteahhit koştu ve açtığında, karşısında şaşkın suratlı damat adayını görür görmez, kürek kadar eliyle Dayı'nın sol yanağına öyle bir şaplak şaplattı ki, sedanın şiddetinden komşu evlerin bile camları zangırdadı. Küplere binen adam boğazını temizleyip yere bir tükürdükten sonra, hızlı adımlarla sokağın başına park ettiği otomobiline yönelmişti. Ne olduğunu anlayamayan, ama Muallâsı'nı artık kaybettiğini bilen Dayı hıçkıra hıçkıra ağlıyordu. Adamcağızın dizleri çözülmeye yüz tuttuğu için vâlide ve peder kollarına girmişti. Aksilik işte, Dayı'nın bileklerini ovmak için evde az kolonya vardı. Bu iş de yine İdris Âmil Hazretleri'ne kalmıştı. Nitekim Efendimiz, elinde kolonya şişesi ile eczaneye gitmek üzere kapıdan fırlar fırlamaz, postaneden bizzât kendi evine çektiği yıldırım telgrafın makbuzunu yırtıp savurdu. Ardından da yine o mübârek nidâyı koyuverdi:

"Hüüüüüüüüüüüüüüüüp! Jjjjjjjjjjjjjjjt! Nah-ha!"

Eczaneye girince, kauçuk pompalı kolonya damacanaları içinde, beyaza yakın limon, sapsarı Altın Damla'yı değil, Dayı'nın kadın kokusu diye nefret ettiği o daha pahalıca 'Gizli Çiçek' kolonyasından 100 cl. istedi. Yuvarlak gözlüklü ihtiyar eczacı kauçuk pompayı fıs fıs sıka sıka üst hazneyi matlûp miktarda Gizli Çiçek'le doldurdu. Derken incecik borudan bu mâyiyi şişeye aktardı. Efendimiz eve doğru koşarken, bir yandan da sigaradan sararmış dişlerini göstererek kıkırdıyordu. İçeri girdiğinde vâlidenin, elinde havluyu sallaya sallaya, fenalıklar geçiren Dayı'yı teskin etmeye gayret ettiğini gördü. Dede hemen kolonyayı aldı ve Dayı'nın bileklerine bol bol döktü. Şimdi adamcağızı havluyla dede yellerken peder ve vâlide de bileklerini ovuyor, gel gör ki Dayı'nın ıhlayıp inildemeleri kesilmek bilmiyordu. Âdeta tabiatın korku, öfke, nefret yanında dördüncüsü olan aşk cephesinde, hem de tam etten o doğal süngüsüyle hücuma kalkar gibi olduğu anda bağrından vurulmuş, feleğin kalleş oku yüreğini delip geçmişti. İşin garip tarafı, adamcağız perişan hâldeyken radyo hâlâ Monako Radyosu'na ayarlıydı ve oparlörden neşeli bir Fransız şansonu işitiliyordu. Dayı'nın hâli fena gözüktüğü için Efendimiz'i bî-zahmet mahallenin sağlık memuruna yolladılar. Hayli ihtiyar olduğu için ahali arasında tecrübeli ve işinin erbâbı sayılan bu sıhhiyeci gelene kadar Dayı, 100 cl. Gizli Çiçek kolonyasını çoktan içip bitirmiş, durmadan "Muallâ! Muallâ!" diye sayıklıyor, ama bu ismi yâd ederken alkolün tesiriyle de dili pek dönmüyordu. Nihayet gelen sıhhiyeci stetoskopunu kulağına takıp Dayı'nın kalbini dinledi, ardından da nabzını saydı. Nabzı 40 iken kalbi dakikada 180 atıyordu. Kısacası sorun bedeninde değil kalbinde olduğuna göre bu, alt tarafı gönül meselesiydi ve tıbbın bu konuda yapabileceği bir şey yoktu. Sıhhiyeci, tıp âlimi sıfatıyla olmasa da görmüş geçirmiş biri sayılmasına dayanarak, bu meselenin hâlli için Dayı'nın derhal bir hatunla başgöz edilmek sûretiyle, bedeninden fışkıracak tabiatın münasip bir yere gitmesini şart koşuyordu. Bu sıhhiye âlimi aynı zamanda aileyi de, Dayı ile bu zamana kadar alâkadar olmamakla ithâm etmekteydi. Çünkü bir kap suya avuç dolusu tuz atılıp karıştırıldığında, su nasıl ki tuza doyar ve daha fazlasını kabul etmezse, artık Dayı'nın da Muallâ denilen kızdan başkasını kabul etmesi zordu. Efendimiz'in pederi sandalyesinde oturup kahvesini içerken, bir yandan da bunları söyleyen sağlık memurunun çorabına parasını sıkıştırdıktan az sonra adam gitti. Dayı ise ağzını havaya doğru açmış, kolonya şişesindeki son damlaların dökülmesini sabırla bekliyordu. Ama bu sırada vâlide çığlığı bastı!

Dayı'nın omuzuna asılı cihazdan bir 'çat!' sesi geldi ve ardından dumanlar çıkmaya başladı. Galiba cihazın sigortası atmıştı! Adamın eli beline gitmiş, tabancasını çekmiş, üstelik kafasına doğru götürmekteydi. Onu zar zor zapt edip, emaneti elinden almaya muvaffak oldular. Ama Dayı yerinde durmuyordu. Evden mahalleye yayılan feryatlar, kapının önünde konu komşunun birikmesine neden olmuştu. Sonunda hâdise iyice büyüdü ve önce polis, yarım saat sonra da ambulans geldi. Eli sopalı hastabakıcılar Dayı'ya damatlık yerine deli gömleğini zorla giydirip, tekme tokat ambulanstan içeri yallah ettiler. Ardından bu vâsıta, sirenini çala çala, ardından koşturan sürüyle çocuk olduğu hâlde mahalleyi terk etti. Ruh ve Sinir Hastalıkları Hastanesi'nde Dayı'ya, mesele çıkarmasın diye o kadar yüksek dozda müsekkin verecekerdi ki, bir tek şey dışında hiçbir şeyi kafasına takmayacaktı: Hastaneye gelişinin ikinci gününde bahçede ruh gibi dolaşırken, Roden tarafından yontulmuş 'Düşünen Adam' heykelinin kopyası alakasını çekecek ve kafasına "Bu adamcağız ne düşünüyor acaba?" sorusu saplandığından, heykelin karşısındaki taşa oturduktan sonra elini çenesine götürüp, hastanede kaldığı müddetçe, yani ömrünün sonuna kadar, heykelin ne düşündüğünü düşünüp duracaktı.

Ailenin bu sarsıntıyı atlatması kolay olmayacaktı. Ama kuvvetli bir bünyesi olduğundan olsa gerek, İdris Âmil Efendimiz'e Dayı'nın hazin sonu fazlaca tesir etmiş denemezdi. Tam tersi, tımarhanedeki adamcağızın tabancası artık onun belinde olduğundan, kendisini eskisinden bir nebze daha kudretli, daha cesur hissediyordu. Yediden yetmişe cümle âlemin ondan korkup tir tir titremesi için, yedi kurşunu olması yeter artardı bile. Geceleri emaneti yastığının altına yerleştiriyor ve kulağını, bu uyuyan canavarın sessizliğine veriyordu. Aklına fena bir düşünce geldi mi elini yastığın altına sokuyor, tabancanın soğuk demiri onu âdeta ısıtıyordu. Galiba ona karada ve denizde ölüm yok gibiydi. Avucunu yalasın! Çünkü bir gece yarısı kapı vurulduğunda aynı şeyleri hissetmeyecekti: Sokak kapısına en yakın o yattığı için kalkıp kapıyı açtığı vakit, karşısında tüyler ürpertici iki şahıs görmüştü. Biri sıskacık, diğeri ise adamakıllı iri bir zebellâ idi. Ama sıska olanın saldığı dehşet, başına zikzaklı bir namaz takkesi geçirip bir de cüppe kuşanmış ızbandutunkinin neredeyse bin misliydi.

Sıska ve gözleri dışarı pörtlemiş adamın başında da takke vardı. Ama o, bunun çevresine bir de, iki üç tur sarık sarmış, yetmiyormuş gibi hepsinin üstüne de bir fötr şapka geçirmişti. Onun üzerindeki cübbe de dizlerine kadar sarkıyordu. Bununla birlikte son derece temizdiler. Gel gör ki sanki tellâk değil, ölü yıkayıcısı tarafından yıkanmış gibiydiler. Âdeta acele edip ölmeden âhirete gitmişlerdi. Bazen dünyada bazen de âhirette yaşayan çift yaşamlılara benziyorlardı. Hâl böyle olunca, elbette ölümden korkmazlardı: Çünkü çift yaşamlarından birini kaybetseler bile, nasıl olsa yedek bir yaşamları daha vardı. Durumu sezen Efendimiz onlara ürpererek bakarken, sıska olan şahıs ağzını açıp konuşmaya başladığında seyrek dişleri görünmüştü ve İdris Âmil Hazretleri'ne şunları söylüyordu:

"Müteahhit Bey'in senden epey bir alacağı varmış. Bir de namus meselesi kulağımıza geldi. Senedin de var. Buraya vâdesini hatırlatmak için geldik. Şunu da unutma ki, senedin vâdesi, aynı zamanda senin de vâdendir!"

Sarığının üzerine fötr şapka giymiş sıska şahıs bunları söyledikten sonra cübbesinin eteğini aralayıp, yeşil kuşağına soktuğu paslı testereyi de göstermişti.

O gece sabaha kadar Efendimiz Hazretleri'nin gözüne uyku muyku girmedi. Ezanlar okunmaya başlandığında ise uyumaya çalışmanın zaman israfı olduğuna karar verip, Dayı'nın daha bir hafta önce eskiciden satın aldığı o koca tel dolaba yöneldi. Dolapta birkaç gün önce yoğrulup elle şe-

kil verildikten sonra geniş bir plastik tepsiye dizilmiş kokuş-
muş köfteler, üstü kabuk bağlamış zerde ve sütlaçlar, pis bir
tencere içinde sasımış piyaz, kap kap ekşimiş yoğurt, plastik
kova içinde üstü küflenmiş mercimek çorbası vardı. Cami
cemaatinin namazı bitirmesine az bir zaman kalmıştı. Ama
asıl voliyi, cemaat dağıldıktan bir saat kadar sonra, esnaf
dükkânlarını açarken; bir sonrakini ise, memur takımı va-
purlardan inip dairelerine seğirtmeye başlayınca vuracak gi-
biydi. Fazla zamanı olmadığı için Moto Guzzi'yi hazırlasa iyi
olacaktı. Derken, Kasımpaşa'daki o boş sokak, triportörün
pat patlarıyla inlemeye başladı. Gazı çevirdiğinde, arkada
muhtelif gıda yüklü kasa ile birlikte Arap Camii'ne yollandı.
Nice sonra oraya vardığında ise, ocağı tutuşturup kokmuş
köfteleri dizdi. Tencereyi yine ocağa koyup içine plastik ko-
vadan biraz çorba döktü. Eline aldığı içyağı parçasını da tıp-
kı bir bez gibi ızgaranın kızgın demirlerine bir iki sürtünce,
etrafa nefis bir koku yayılıverdi. Az sonra, tartısı hileli fırın-
cıdan sıcak ve taze ekmekler de gelmişti. Müşteriler otursun
da rahat zıkkımlansınlar diye tabureleri ve sehpaları da diz-
di. En az bir hafta önce sebze hâlinden alınmış yeşil biber-
lerden artakalan yedi sekizini, şık dursun diye ocağa koydu
ve seyyâr lokantasının neşrettiği koku daha bir iştah uyan-
dırmaya başladı. Bu arada nereden aklına estiyse, işini bıra-
kıp camiye gitti ve ayacığına uyanlardan iki üç çift ayakkabı
ile, icâbında hamamda giymek için bir çift de takunya yürüt-
tü. Şadırvanın tarihî musluklarından ikisini söküp çepleri-
ne attı. O esnada cemaatin camiden çıkmaya yüz tuttuğunu
hissedince, gerisin geri triportöre döndü. İbâdetgâhta az ön-
ce gönüllerini doyuran müminler, bu kez karınlarını doyur-
mak için triportöre doğru yürüyorlardı. İçlerinden üçü yalı-
nayaktı. İşte bu hâdise, İdris Âmil Hazretleri'nin gıda işinde
vurduğu ilk voli olmuştu. Gel gör ki menüsü, Dayı'nınki ka-
dar detaylı değildi. Zihnine şunu kazımıştı:

# FAKİRLİK SINIRINDAKİ
## İTLER İÇİN
# MENÜ

## BU MİLLETE TAŞ VERSEN YER!

İlk gün sabah saat ona kadar çalışmıştı. Çünkü hem müellif kursu ve hem de münevverlerin devam ettiği Kültür Kıraathânesi'ndeki yarenlerince bu vaziyette görülmek istemiyordu. Eğer köftecilik yaptığı duyulursa, şâirlik kariyeri güme gider, kadın kız hayalleri, hele hele Muallâ'ya ithâf etmeyi düşündüğü şiir kitabı tasarısı suya düşerdi. İşte bu nedenle, her gün sabahları çalışıp geceleri çalıp çırpmaya giderek, müteahhide imzaladığı senedi ve kafa kâğıdını mutlaka geri almalıydı. Aslında, köftecilik yaptığını Galata'daki hırsızların reisi Muhtar'ın duymaması da çok iyi olacaktı. Çünkü bu gıda işindeki kazancı öğrenecek olsalar, hırsızlık sanatını derhal bırakıp onlar da birer seyyâr köfteci oluverirlerdi. İşte bütün bunlardan ötürü, gıda işini âzamî kâr ve asgarî giderle bir an önce kapatıp vartayı atlatsa fena olmayacaktı. Gel gör ki, senedi ödese bile, müteahhidin koca kıçlı kızı ile sözlü sayıldığından, bu hanımla evlenip, üstüne üstlük bir de gerdeğe girmek zorunda idi. İş bununla bitmiyordu! Efendimiz sağa sola pek hissettirmeden, bir de hanımı Remziye'ye karşı boşanma davası açmalıydı. Ama bu, Lât, Uzzâ ve Menât nâm putlara tapmakla meşgul olduğu için, neûzübillâh, Allahû Teâlâ'dan bile korkmayan Yarma İskender'in hiç hoşuna gitmeyecekti. Neticede ya müteahhit boynunu kör testereyle kesecek, ya Remziye'nin adamlarından biri tarafından vurulacak, ya da hakikî bir putperest olan Yarma İskender'in pençesine düşecek; yani ölümlerden ölüm, cellâtlardan cellât beğenecekti.

Köftecilikten en kısa zamanda nasıl para kazanacağını biliyordu. Bu iş için Sur Dibi'ne bir gitmesi lâzımdı. Dayı'dan kalma köfteler anca ertesi güne kadar idare ederdi. Bu yüzden, saat on buçukta triportörünü çalıştırarak vâsıtayı Topkapı istikametine sürdü. Fındıkzâde'yi geçerken Vatan Caddesi'ne saptı. Az sonra Mevlânâkapı yakınlarında bir yerde Moto Guzzi'yi park etti ve yanına iki kova alarak, Sultan'ın dev balyemez toplarının günlerce dövdüğü sur boyunca yürüdü. Nihayet, asırlar evvel bir taş güllenin açtığı, ama açıldıktan elli yıl sonra tuğla ve horasanla kapatıldığı belli bir gediğin önünde durdu. Surun içindeki bu izbe mekânın tuğla duvarından bir baca çıkmış, durmadan tütüyordu. Anlaşılan içerideki şahıs konuksever biriydi ki, ahşap kapıyı ardına kadar açık bırakmıştı. İdris Âmil Hazretleri, elinde kovalarla bu karanlık mekâna girer girmez dehşet içinde kalıverdi! Saçları karmakarışık cadı, isten kapkara olmuş kazanını ateş üzerinde kaynatıyor, arada bir de fokurdarken sathında baloncuklar peydâ olan yeşil sıvıya kepçesini daldırıp bir tadına bakıyordu. Duvardaki raflarda, bazıları formaldehit içinde çıyan, yılan, kırkayak, örümcek, kertenkele ve benzeri hayvanat göze çarpmaktaydı. Neredeyse asırlık ve yer yer kemirilmiş demir bir kafese tıklım tıkış tıkılmış sıçanlar ise, cıyak cıyak feryat etmekteydiler. Ancak kazanı karıştıran sivri çeneli cadının ağzından savrulan küfürler yanında bu cıyaklamalar solda sıfır kalırdı! Tavanda ise, boydan boya uzanan koskoca bir kokuşmuş köpekbalığı iskeleti ile, ondan sarkan et parçalarına pençeleriyle tutunup gündüz uykularına dalmış capcanlı yarasalar vardı. Bazen bu yarasalardan biri uyanıp izbede fır döndü mü, kazan kaynatan cadı bir küfür patlatıp elini sinek kovar gibi savurarak hayvanı defediyor, yarasa da inadına bir iki tur daha uçtuktan sonra, tavanda az önce pençeleriyle tutunduğu yere geri geliyordu. Yerde ise, ağzına kadar dolu devâsâ variller içinde, kıvrım kıvrım kıvranan canlı sülükler, sapsarı leş kurtları, deniz yıldızları ve hıyarları görünmekteydi. Hele hele İdris Âmil Hazretleri yan yana dizili çöp varillerini görünce daha bir dehşete kapıldı. Çünkü bunlar, şehirdeki hemen tüm hastanelerden günlük gelen tıbbî atık varilleriydi!

Efendimiz'in kapıdan girdiğini gören cadı, daha bir hoş geldin bile demeden, "Cerrahpaşa mı, Zeynep Kâmil mi?" diye sordu. İdris Âmil Hazretleri'nin şaşkın bakışlarını görünce, "Cerrahpaşa'nın 10 kilosu 1,5 kuruş, Zeynep Kâmil'inki ise 12 kilosu 1 kuruş," dedi. Efendimiz şaşalayarak, "Cerrahpaşa olsun," deyince cadı, koskoca kepçesi ile fokurdayan yeşil sıvıdan alıp, üzerinde hastanenin adı yazılı atık varilinden içeri boca etti. Ardından, İdris Âmil Hazretleri'nin getirdiği iki kovayı, atık variline daldırdığı kürekle doldurup, içindekileri oradaki dev kıyma makinasının hunisinden içeri boşalttı ve incecik kollarının olanca gücüyle makinanın kolunu çevirmeye başladı. Kıyma taş zemine dökülüyordu. İki kova da makinada çekilince, kıymayı kürekle toplayıp Efendimiz'in kovalarına tekrar doldurdu ve 10 kilo hazır köfte karşılığı 1,5 kuruşunu aldı. İdris Âmil Hazretleri kapıdan çıkarken cadı arkasından, "Hazır köfteyi tepsiye yayıp arada bir ıslatarak güneşte ne kadar bekletirsen müşteri o kadar çok sever. Kıvama geldiğini, üzerini kaplayan sinekler artık uçup gittiğinde anlayacaksın," diye nasihatlerde bulunuyordu.

O gün sabah namazının ardından Arap Camii'nin cemaati sanki avlu önünde değil, 'Mahşer'de idi. Çünkü, odun kömürü ocağında cızırdayan nefis köftenin kokusunu daha ilk rekâtta secde ederlerken duymuş, bu dünya nimeti onları fazlaca cezbettiğinden olsa gerek, sol taraftaki meleğe daha bir samimi selâm verir vermez kıyâm edip kunduralarını ayaklarına geçirerek köfteciye koşmuşlardı. Havaya kaldırdıkları ellerinde 50 kuruş yahut 1 lira gibi bozuk paralar değil, 2,5 liralık banknotlar vardı ve birbirlerini itip kakarak bir an önce karınlarını doyurmak istiyorlardı. İşin kötüsü, hava çoktan ağarmış, civardaki mekteplerin top oynamak için erken kalkan talebeleri de kokuyu alıp sökün eder olmuştu. Kısacası bu mahalde tam bir izdihâm vardı ve Efendimiz için kaçıp gitmek imkânı da yok gibiydi. İşte! Çok geçmeden zâbıtalar da gelmişti! Ama yüzlerindeki o her zamanki yırtıcı ifade yoktu. Tam tersi, bu memurlar da para uzatıyor, rica minnet bir lokma olsun ekmek arası köfte istirhâm ediyorlardı. Derken, seyyâr satıcıları dâima kovan orta mektep müdür muavinleri, hattâ bu izdihâmın sebebinin siyasî olduğunu düşünen polis ve gizli polisler de geldi ve bütün bu aç kalabalık, 10 kilo köfteyi üç saat içinde tüketiverdi! Kalan açlar, Efendimiz'in, "Bitti! Köfte kalmadı!" lâfından anlamıyor, hattâ rüşvet teklif edenler bile çıkıyordu. Hattâ mesaiye geç kaldığı için ekmek arası yiyemeyen bir zâbıta, Efendimiz eğer hemen yarın Zâbıta Müdürlüğü'nün önüne gelip tezgâh açmazsa, ona dünyayı dar edeceği yollu tehditler savurmaktaydı. Kalanlar nihayet, öğleye doğru umutsuzca dağıldı. Ama o köfte kokusu, bu mıntıkadan tam 15 sene kaybolmadı! Ailelerin çocukları ve beyleri, anaları ve hanımlarının yaptığı köfteyi dâima Efendimiz'inkiyle mukayese edecek ve ihtiyarladıklarında torunlarına bu 'Esrarengiz Köfteci'yi bir efsane gibi anlatacaklardı!

İdris Âmil Hazretleri'nin elinde 40.000 liraya yakın para birikmişti. Senedi alabilirdi. Ama, mesele asıl şimdi başlıyordu! Evden kaçıp kötü yola düşen ve üstüne gül koklatmaya hiç de niyeti olmaz görünen zevcesi Remziye'ye boşanma davası açmak için, canına susamış bir avukat bulmalıydı. Böyle bir avukat elbette yoktu. Ama canından bezmiş bir hukukçu vardı: İşte bu 98 yaşındaki avukat, Cağaloğlu'ndaki bürosunda 70 küsûr senedir dilekçe yazıyor, dava takip ediyordu. Yaşına bakılırsa bilgeydi. Çünkü düşünmeden konuşmazdı. Gel gör ki, düşünmesi fazlaca zaman alırdı. Ama hâfızası mükemmeldi. Tâ altmış sene evvelki kanunları ve içtihâtları ezbere bilir, hattâ geceleri uykusunda bunları sayıkladığı bile olurdu. Fakat bilgeliğinden olsa gerek, *Resmî Gazete'yi* 20 senedir takip etmiyordu! Duruşmalarda genç hâkimlerden saygı görür, lâkin, orta yaşlı olanlarca bazen, "Efendi! Efendi! Artık padişah falan yok! Saltanat kaldırıldı! Rejim değişti! Dilekçeni doğru yaz!" gibi; yahut, "Avukat bey, Tanzimat Fermânı'nı esas alamazsınız!" veya, "Fatih Kanunnâmesi'nin bu mahkemede geçerli olmadığını bilmeniz gerekir!" sözleriyle azarlanırdı. Avukat bunları işitince uzunca bir süre susardı. Susmasının nedeni, kulağından beyninin muhâkeme mahalline sinyaller gönderen sinirin, herhalde kireçlenme neticesinde, elektriğe mukavemet göstermesi olsa gerekti. İdris Âmil Hazretleri elinde vekâletnâme ile derhal, işte bu ihtiyar avukatın bürosuna gitmişti. Adama derdini anlatıyor, ama sözü bittiğinde, avukatın konuşmaya başlaması 15 dakika kadar zaman alıyordu. Anlaşılan o ki, müvekkilinin lâfı adamın bir kulağından girip diğerinden kolay kolay çıkmıyor, dimağındaki sinir uzantıları boyunca uzanan yolları ağır âheste katederek başka malûmatlarla epey zaman alan bir reaksiyona giriyor, ancak ihtiyar avukatın beyin kimyasındaki bu reaksiyonlar, neredeyse ışınımlı maddelerin kurşuna dönüşmesi kadar bir müddet sürüyordu. Adam bir neticeye vardı mı dimağı duruveriyor ve süreç bu kez tersine işleyerek, neden sonra adamın ağzından birkaç lâf çıkmasına sebebiyet veriyordu. Avukatın tecrübesini çekemeyenler, mağazalardaki ve kasası açılırken çınçın seda salan o mekânik hesap makinalarının, onun dimağından daha hızlı çalıştığını söylerlerdi. Ama bunda haksız gibiydiler. Çünkü avukat, ilerlemiş yaşına rağmen her ne kadar bölüp çarpamasa da hâlâ kesirleri toplayabiliyor ve haciz davalarının ara sıra üstesinden gelebiliyordu.

Köprü'yü geçip Karaköy'e ulaşan İdris Âmil Hazretleri, Galata'daki o malûm sokakta, hırsızlar camiasının reisi Muhtar'ın konutuna vardı. Gece hayli yorgun düşen adamcağız, döşeğinde sızmış kalmıştı. Hususî hizmetçisi ise, işaret parmağını dudağına götürerek, heyecan içindeki Efendimiz'e ses seda etmemesi için ikide bir, 'Şşşşşşşt!' diye uyarıda bulunmaktaydı. Ancak İdris Âmil Hazretleri heyecandan kıvrım kıvrım kıvrandığı için, oturduğu sandalye gıcırdıyordu. Muhtar, işte bu gıcırtılar yüzünden uyanmıştı. Gözlerini bir ovuşturduktan sonra önce sağa sola, derken Efendimiz'e bir baktı. Ve, yerinden doğrulup önce çoraplarını giydi, sonra da mestlerini çekip ardından da terliklerini ayağına geçirdi. Konuşmaya bile gerek duymadan, sadece "Hayrola, ne var?" diye sorar gibi elini bileğinden yukarı kıvırdı. Bunun üzerine, zaten deminden beri gözleri parlayan Efendimiz, adamın yanına giderek sedirine oturdu ve Muhtar'ın kulağına bir şeyler fısıldamaya başladı. Derken, yavaş yavaş Muhtar'ın gözleri de tıpkı onunkiler gibi parlamaya başladı. Üstelik adam, olacakları düşünüp gülümsemeye bile başlamıştı. Anlaşılan o ki, oracıkta büyük bir vurgun planlanmıştı! Tam da tarihe geçecek türden bir tarihî eser vurgunu!

O sabah gökler gümbürdüyor, bardaktan boşanırcasına yağmur yağıyordu. Hava kasvetliydi. Duvarları mahkemelerinkilerden bile daha kasvetli Sultanahmet Cezaevi'nin kapısı önündeki iki candarma eri, koskoca binanın tâ derinliklerinden kopup gelen o cânhırâş çığlığı işitince, ister istemez, "Acaba gardiyanlardan biri kol bacak mı kırdı?" diye düşünmeden edememişlerdi. Bu dehşetengiz çığlık gerisin geri, yani kapıdan tâ kaynağı olan gırtlağa doğru takip edilseydi, önce içeri girip iki kat merdiven inmek, ardından o upuzun, yılankâvi ve karanlık koridorlarda bir hayli yürümek, derken Rumeli Külhânbeyi Yarma İskender'in hücresinden içeri girmek icap ederdi. Adamcağız döşeğinden kalkar kalkmaz, ibâdetgâh bellediği hücresinde yanan mumların ışığında o, tövbeler olsun, güzelim kızlarını görememişti! Adamın üç kızını da namussuzlar kaçırmıştı! Hem Lât, hem Uzzâ ve hem de Menât yerlerinde değildiler. Yarma İskender yerlere kapanmış, hüngür hüngür ağlamaktaydı. Ancak bu, kabadayılığa hiç de yakışmazdı. Zamanla gözyaşları diner gibi olduğunda sağa sola bir bakınmıştı. Neden sonra yumruğunun tersiyle gözyaşlarını sildi ve senelerden sonra ilk kez, hücresinin demir kapısını itti. Onun cânhırâş çığlığına, belki bir emri arzusu vardır diye koşup gelen gardiyanlar ve cezaevi müdürü, Yarma İskender ilerlerken kenara çekilip adama yol açtılar. Bu hâdiseyi namus meselesi yaptığı için dudakları öfkeyle büzülmüş İskender, koridor boyunca kararlı adımlarla ilerliyordu. Neden sonra merdivenlere gelince, onu gören candarma çavuşu ve iki er ile birkaç gardiyan adama yol verdiler. Yarma İskender doğruca cezaevi müdürünün odasına varıp, masasını tekmeyle devirdi ve yangın köşesindeki baltayı kapıp kırdıktan sonra, böylece açılan kilitli çekmeceden müdürün tabancasını aldı. Sürgüyü çekip mermiyi atım yatağına sürdükten sonra da beline yerleştirdi. Derken çıkışa yöneldi. Kapıdan geçerken orada bekleyen candarma erleri, tüfekleriyle selâm durup durmamada kararsız kalmışlardı. Yarma İskender ise dişlerini öyle sıkıyordu ki, azı dişi çat diye kırılıverdi. İşte tam da bu anda, belindeki silâhı çekip havaya pat pat pat üç el ateş etti. Bir yandan da, "Yi-heeeeeeeeeeeeeeyt!" diye bir nâra koyuvermişti. Bu esnada oradan geçen dört müminden ikisi yere yatıverdi. Kalanlardan biri, delirdiğine inandığı bu adamın tez zamanda şifâ bulmasını niyâz ederken, daha aklı başında olan diğeri, Yarma İskender'in düşman bellediği şahsın selâmeti için cân-ı gönülden dua ediyordu.

O esnada İdris Âmil Hazretleri, Muhtar ile birlikte hem sabah çaylarını yudumluyor hem de o gece cezaevine girerek yürüttükleri, tâ asırlar önce Mekke'nin panteonu sayılabilecek Kâbe'de vaktiyle yer almış, ve fetihte kırılmasından dolayı üzerinde Hazreti Peygamber'in o çelik kılıcının izlerini hâlâ taşıyan, parçaları horasanla tutturulmuş o üç uğursuz puta, Lât, Uzzâ ve Menât'a bakıyorlardı. Efendimiz'in dediğine göre bu sanat eserlerine, müzelerden gelecek mütehassıslar dünyanın parasını ödeyeceklerdi. Ama gözü gönlü tok Efendimiz bu putları ona buna para pul için değil, kendi sanemi yahut idolü Muallâ için, isteyene, bilâ bedel hibe etmeye hazırdı elbet.

Bu yüzden, doğruca Kasımpaşa'daki Babalar Kıraathânesi'ne yöneldi. Beklediği gibi, kızları kaçırıldığı için suratı asık ve neredeyse insan içine çıkamaz duruma düşen Yarma İskender oradaydı. İhtiyar kabadayılar çevresini almış, ona akıl veriyor, ama o nasihatlere pek kulak asmıyordu. İşte, tam bu esnada İdris Âmil Hazretleri'nin sesi duyuldu. Kararlılıkla beyan ettiğine bakılırsa, kabadayının kızları olan Lât, Uzzâ ve Menât'ı bulup getirerek Yarma İskender'in namusunu temizleyecekti. Ama bunun karşılığında bir ricası vardı: Kabadayı da onun, evden kaçıp kötü yola düşen zevcesi Remziye'yi boşamasına izin verecekti! Bu lâfları işitir işitmez Yarma İskender masaya öyle bir yumruk indirdi ki, tahta ortadan çatırdadı. Hınçtan çenesini alabildiğine sıktığı için, bir dişi daha kırılmıştı üstelik! İhtiyarlar ise susup kalmışlardı. Neden sonra Yarma İskender şunları söyledi:

"Kızlarımın namusu benim namusumdur! Bana onları getirirsen seni hem affeder, hem de iade-i itibarda bulunurum!"

Aynı günün gecesi, hırsız tâifesinin soygun faaliyetlerini yürüttüğü, yani o malûm sokağın neredeyse boş olduğu ilerlemiş bir saatte İdris Âmil Efendimiz, Muhtar'ın boş evinin altındaki, o tâ Ceneviz kavmi zamanında inşâ edilmiş taş duvarlı depoya maymuncuk marifetiyle giriverdi. Burada neler yoktu ki! Depodaki miadı dolmuş, bu yüzden ıskartaya çıkarılmış mallar arasında, ahşabı çürümeye yüz tuttuğu hâlde altın yaldız kaplaması hâlâ duran bir saltanat kayığı, kirli ve zamanın tesiriyle yamulmalarına rağmen en azından ipekleri itibâriyle değer taşıyan ve asırlar önceki cellât mezatlarından yürütülmüş vezir kavukları, Macar Kralı'nın âsâsı, işgal esnasında şehre giren o Fransız jeneralinin beyaz atının hâlâ koşumlu iskeleti, birçok firavun mumyası, başlarında ayarı düşük altından tâclar olduğuna bakılırsa kralcık iskeletleri! Ama en önemlisi, Hubal, Malakbel ve Manaf adlı, bir zamanlar Kâbe'de müşriklerce tapınılan ama Hazreti Peygamber'in kılıç izlerini hâlâ taşıyan putlar! İşte, İdris Âmil hazretleri bu son üç putu sırtına yükledi ve yukarıya, Muhtar'ın konutuna çıktı. Biritiş Müzeum'a kaçak gidecek sandığı açıp Lât, Uzzâ ve Menât'ı aldıktan sonra, yerine yine taştan yontulma bu heykelleri yerleştirdi. Ardından, Yarma İskender'in kızlarını yüklendikten sonra, sokak başından bir taksi çevirdi ve doğruca Kasımpaşa'da, Babalar Kıraathânesi'ne vardı. Yarma İskender ve ihtiyarlar kendisini bekliyordu. Kızları teker teker masanın üzerine koyunca, Yarma İskender ağlamaklı oldu. Her birini tek tek öptü. Ardından bir de, söylemeye insanın dili pek varmıyor ama, onlara secde etti. Bu hâl uzun bir müddet devam ettikten sonra kalkıp Efendimiz'e sarıldı ve onu herkesin içinde hem bağışladı, hem de taltif etti. Ama içi artık ferahlayan Efendimiz kıraathâneden çıkarken bu kabadayı, el alışkanlığından olsa gerek, İdris Âmil Hazretleri'ne bir parmak atmadan edememişti.

Meselenin büyük kısmı hâllolmasına rağmen Efendimiz'in gönlü hiç de ferah sayılmazdı. Hâliyle içinde bir sıkıntı vardı ve yaşadığı onca heyecandan sonra elbette biraz nefes almaya ihtiyaç hissediyordu. Acaba meyhâneye mi gitseydi? Ama buraya tek başına gitmek olmazdı. Hem cebinde parası da olduğuna göre, Kültür Kıraathânesi'ne bir varıp oradan kafa dengi bir iki münevver yareniyle içmeye gitse hiç fena olmazdı. Böylece, o soğuk kış günü İdris Âmil Hazretleri, Kasımpaşa'dan Karaköy'e, oradan da Eminönü'ne kadar yürüyüp edebiyatçıların toplandığı bu kıraathâneye vardı. Aralarındaki ilişki lâubâliliğe, hattâ amansız el şakalarına varan üç yareni, çuha örtülü bir masada oturuyor ve kendilerine çay ısmarlayacak birini bekliyorlardı. Bu yüzden Efendimiz'i görünce sevindiler. Çaylar söylendi. Yarenleri, nasıl olsa bedava diye çaylarına beşer şeker atmış, bir de Efendimiz'in tuttuğu cıgaraları yakıp tüttürmeye başlamışlardı. Herkesin keyfi yerindeydi. Çünkü hem gençtiler hem de kitap yazıp bastırmak, bu sayede meşhur olmak gibi muazzam hayalleri vardı. Ama bu esnada, kıraathânenin açılıveren kapısından esen soğuk, iliklerine kadar işleyiverdi!

Kapıda, elinde eski çantası ile Efgan Bakara vardı. Son derece mutlu görünüyordu. Davet edilmemesine rağmen hızlı adımlarla gelip onların masasına oturdu ve çantasını açtı. Hayret! Kaşalotzâde, kendi kitabını bastırmıştı! Üstelik herife tam iki lira telif de vermişlerdi. Pes! Efendimiz ve yarenleri, kıskançlıktan başlarını çevirdiler ve hasetten sustular. Efgan Bakara buraya, kitabını onlara imzalamak için gelmişti. Kaşalotzâde, çantasından dört nüsha çıkarıp imzalamak üzere tükenmez kalemi eline aldığında, kitabın adını gördüler:

**KURBAĞA DİSEKSİYONU**
Müellifi
**Efgan Bakara**

Bu başlığı görür görmez kahkahaları koyuverdiler. Kasıklarını tuta tuta gülüyor, zembereklerini boşaltıyorlardı. Enayi, kurbağanın iç organlarını, sinir ve kas sistemini, iskeletini ve daha bir nice girdisini çıktısını, kendi çizdiği şekillerle anlattığı bir kitap yazmıştı. Kendisiyle alay edildiğini hiç anlamayan Efgan Bakara da onlarla birlikte gülüyor ve bu münevverlerin neşesini, kitap bastırma başarısına bağlıyordu. Kahkahalarla gülmekten yanakları ağrıyan ve gözlerinden yaş gelen Efendimiz, *Kurbağa* kitabı kendisine uzatıldığında, o mübârek nidâsını koyuvermişti:

"Hüüüüüüüüüüüüüüüüüp! Jjjjjjjjjjjjjjjjt!"

Kaşalotzâde bir roman, yahut olmadı, bir fikir kitabı yazmış olsaydı fena hâlde kıskanacaklardı. Ama enayi, alt tarafı kurbağa üzerinde kafa yormuştu. Herhalde ikinci kitabı, sümüklüböceğin iç organları üzerine olacaktı. Neşeleri gitgide artıyor, arada bir de Efgan Bakara'nın ensesine bir şaplak indiriyorlardı. Bu davranışlarını birer takdir gösterisi olarak yorumlayan Kaşalotzâde ise utanmadan, sosyal ilimlerin, fen ilimlerinin taşrası olduğunu söylemekteydi. Enayinin dediğine bakılırsa, şehirde biri maddî ve diğeri manevî, iki tür gecekondu vardı: Birincisi, ucuz briketten yığma duvarlı ve tepesi kiremit yerine tenekeyle örtülü, barınmaya yarayan baraka idi. Manevî olan ise, 'sorunsal,' 'iktidar,' 'bağlam' gibi kelimelerle inşa edilmiş fikriyâttı. Utanmaz enayiye göre demokrasi, ancak Hakikat'in acımasız bir despot olduğunun keşfedildiği memleketlerde varolabilirdi. Oysa, asırlardır sultanlar veya fuhrerler tarafından idare edilmiş memlekette Hakikat, ahalinin reyine ve uzlaşmasına dayanıyordu; öyle ki Hakikat, başta hâkim sınıf olmak üzere herkesin işine gelmeliydi. Uzlaşmaya dayalı demokrasi varsa Hakikat despot, uzlaşmaya dayalı Hakikat varsa rejim despot olmaktaydı. Bu nedenle memlekette Hakikat mutlak değil, örfî idi. Hattâ daha da fazlası, hukukî idi de. Meselâ ahalinin Hakikat diye kabul ettiği şeye dil uzatmanın cezası hapisti. Çünkü Hakikat birçok kişinin işine gelmeli, bir işe yaramalıydı. Gel gör ki, memleket insanının kendisini Hakikat'e yaklaştıracak metot olan ölçme ile arası hoş değildi. Meselâ ahali, "3 gram tuz" demek yerine, "3 tutam tuz" demeyi tercih ederdi. Bu sadece avâma değil, çoğu sosyal ilimciye de mahsûstu. Çünkü bunların, tanımlarla arası hoş olmazdı. Tanım yahut de-finis-yon, anlamı sınırlandırmak demekti. Oysa bu âlimler, 'sorunsal', 'iktidar', 'sermaye' gibi terimlerin arasındaki, hiçbir kavrama ait olmayan bölgede, "no man's land"te dolaşıp fenden fikir çalan ölü soyuculardı. Ayrıca belirsizlik, münevverlerin yegâne varlık nedeniydi. Bodrumda kaybolan anahtarı, daha aydınlık diye sokakta arayan Hoca'nın tersine bunlar, sokakta kaybolan anahtarı, daha karanlık diye bodrumda ararlardı. Utanmaz enayi! Kaşalotzâde ayrıca, senede ancak bir iki hafta güneş gören Biritanya'nın 'üzerinde güneşin batmadığı' imparatorluk olmasını, fenne bağlamaktaydı. Oysa örfî Hakikat memleketi, 'siyaset tüccarının batmadığı' bir yer hâline getirmişti. Öte yandan Biritanya dünya hâkimiyetini, Amiral Nelson'un Viktori adlı harp gemisiyle değil, tabiîyyeci Şarl Darvin'in içinde bulunduğu, HMS Bigıl araştırma gemisiyle kazanmıştı. Hakikat'i ancak fen verirdi ve Hakikat, insanın yürüdüğü zemindi. Eğer ayakları bu zemine basmıyorsa, insanın kafasındaki plana hayal denirdi. Efgan Bakara, Alamanca bir mektup yazıp üstelik bunu lisan hocasına da düzelttirerek, kitabıyla birlikte Zürih Üniversitesi'ndeki bir biyoloji profesörüne, hem de iadeli taahhütlü postaladığını söylüyordu. 'Beyin göçü' tâbiri aslında palavraydı. Doğru tâbir, 'korteks göçü' idi. Beyin korteksi ancak memleket dışında yaşama imkânı bulurken, limbik sistem sadece burada sefâ sürüyordu. Kaşalotzâde nihayet sustuğunda, İdris Âmil Hazretleri o mübârek nidâsını tekrar koyuverdi:

"Hüüüüüüüüüüüüüüüüp! Jjjjjjjjjjjjjjjjt! Nah-ha!"

O gece yârenleriyle meyhânede bir yetmişlik deviren Efendimiz, ertesi sabah baş ağrısıyla uyanmıştı. O gün her biri gayet mühim iki hâdise cereyan edecekti ama, kafası arı kovanı gibi uğuldayan İdris Âmil Hazretleri'nin sersemliği bir hayli sürdüğünden, birincinin kendi boşanma davasının, Allah kısmet ederse ilk ve son duruşması olduğunu; ikincinin ise, müteahhidin senedinin vâdesinin gece yarısı dolmuş olacağını geç de olsa idrâk ediverdi. Hâl böyle olunca Efendimiz'i bir titremedir aldı. Yatağına gidip yorganın altına girerek büzüldü. Hayatı, hâkimin vereceği karara bağlıydı. Allah vere de ihtiyar avukata duruşmadan önce bir zarar gelmese, adamı karardan hemen sonra sırf intikam için vursalardı! İşte Efendimiz bu niyâzda bulunduğu sıralarda ihtiyar avukat da yokuştan aşağı adliyeye doğru, yaşı icâbı ağır ağır yürüyordu. Fakat ne korkunç ki, Efendimiz'in zevcesi Remziye'nin bir eli kan diğeri katran adamlarından biri, ceket cebinde demirle avukatı takip etmekteydi. Aksi gibi civar biraz kalabalıktı. İhtiyarın kim vurduya gitmesi için etrafta ya çok izdihâm yahut tam ıssızlık olmalıydı. Katil nihayet muradına erdi. İhtiyar avukat küçük su dökmek için gayet tenha görünen umumî helâya yaklaştığında, kiralık katil demiri çekti ve horozu doğrulttu. Tabancanın topu döndü ve mermi, tıpkı fabrikada tasarlandığı gibi tam da horozun önüne rastgeldi. Sol gözünü yumup kurbanını iyi görmek için diğerini alabildiğine açan katil tetiği çektiğinde, horoz merminin kapsülüne çarptı ve kurşun namlu içinde döne döne ilerledikten sonra silâhı terk etti. Patlama bu sırada duyuldu. Vızıldayan kurşun havada otuz metre yol katettikten sonra, arkasını dönmüş ihtiyar avukatın kafasından girdi ve orada kalakaldı. Ama hayret! Kafasındaki kurşuna rağmen avukat, hâlâ helâya doğru yürüyordu. Hiçbir şey olmamış gibi tam su dökmeye içeri girecekti ki, helâ sahibi, avukatın kafasından ensesine doğru sızan kanı fark etti. Derken, hayır olsun diye onu köşedeki eczaneye kadar götürüp tentürdiyotla pansuman yaptırdı. Avukat eczaneden gayet sağlıklı çıkarken, katil de olanı biteni hayretle seyrediyordu. İşi, yüzüne gözüne bulaştırmıştı. Kafasında hâlen bir kurşun olduğu hâlde adliyeye doğru yürüyen ihtiyar avukatın aslında bir fâni olmadığını, tabiatüstü bir kudreti olabileceğini düşünüp korkuyla oradan kaçtı. Oysa, iki kürek kemiği arasından vurmuş olsaydı, adam oracıkta ölecekti. Gel gör ki, sıktığı kurşun, ihtiyar avukatın beyninin yarısını, yani yaşı icâbı kendisine fazla gelen, kullanmadığı ölü kısmını tahrip etmişti.

Hâl böyle olunca, cebine beş kuruş sıkıştırılmış bir çocuk, adliyeden tâ Kasımpaşa'ya kadar koşarak İdris Âmil Hazretleri'ne, sâbık zevcesi Remziye'den hâkim kararıyla boşandığı müjdesini getirdi.

Efendimiz sevinçten ter ter tepiniyordu. Üstelik, görücüye gitmek için paraya kıyılıp Hacı Bekir'den kaymaklı fıstıklı lokum yaptırılmış ve güllü leylâklı çiçek de hazırlanmıştı. Müteahhidin parası da zarf içinde cepteydi. Allah nasip ederse, Efendimiz o gece hem senedi hem de kafa kâğıdını adamdan teslim alabilecekti. Amma ve lâkin kısmeti katlandığından olsa gerek, tam da bu sırada kapı çalındı. Az önceki çocuk yine gelmiş, İdris Âmil Hazretleri'nin mahalle kıraathânesindeki telefondan arandığını haber veriyordu. Ne olacağını sezen ve kendisini bir umuttur alan Efendimiz, ayağına kunduralarını bile geçirmeden Arnavut kaldırımında yalınayak koştura koştura kıraathâneye vardı ve içeri girer girmez ahizeyi eline alıp, meçhul şahsa "alo," dedi. Arayan şahıs, Royal Artis Ajansı'nın müdürüydü!

Bu düşman çatlatacak ne büyük kısmettir ki, Efendimiz'in artis kataloğundaki resmi, bir rejisör tarafından görülüp teşhis ve takdir edilmiş, yüzündeki nur ve uğurdan olsa gerek, kendisine filimde mühim bir rol münasip görülmüştü. Çekim ise hemen iki gün sonraydı! Bir günde iki müjde alan İdris Âmil Hazretleri, yalınayaklarıyla o kıraathânede neşeden tepinip duruyordu. Telefonu kapattı ve oradaki herkese çay, hattâ isteyen bazı beleşçilere de kahve ısmarladı. Müjdeleri veren ve bahşiş için peşinden koşturan çocuğun eline üç beş kuruş sıkıştırıp bâyiden en iyi cıgarayı almasını söyledi. Bu cıgaradan herkese teker teker tuttu. Beş kuruş verip veledi saldı. Ardından, soğukta ayaklarını üşütmemek için, kıraathâne kapısında bekleyen Çingene kundura boyacısının müşterilere ödünç verdiği terlikleri ayaklarına geçirip eve yollandı. Yolda yürürken, beyaz perdede görünüp meşhur bir artis olduğunda, kadın kızın kendine meftûn kesilip kul kurban olacağına kalıbını basmıştı bile. Ama biri dışında, cins-i latif avucunu yalardı: Onun gönlü kiraz dudaklı ve servi oylu Muallâ'daydı. Neylersin ki, zâlim müteahhit, kızlarından Muallâ'yı değil, onun geçkin ablası Dilârâ'yı Efendimiz'e karı olarak atamıştı. Anlatılanlara bakılırsa Dilârâ'nın evde kalmasının nedeni, sinema artisi Klark Kebıl'a körkütük âşık olması, başkasını bir türlü beğenmemesiydi. Varsın öyle olsun! Bu da canına minnetti! Efendimiz'in planı basitti aslında. Her şeyden önce müteahhidin evine içgüveyi girip sinecek, böylece aşkı Muallâ'ya daha yakın olacaktı. Kısmet olur da hem bir şâir hem de bir artis olduğunda, kiraz dudaklı ve âhû bakışlı Muallâ'nın ona abayı yakmaması imkânsız gibiydi! İdris Âmil Hazretleri eve vardığında, o her günkü damalı taksinin kapı önünde hazır beklediğini gördü. Vâlide ve peder giyinip kuşanmış, lokum ve çiçekle, kaderlerine razı hâlde bekliyorlar; şoför ise sıkıldığından mıdır, bir bankerin çekmecesinden yürüttüğü altın saatine ikide bir bakıyor, arada bir de hohlayıp mendiliyle parlatıyordu.

Şoför kontağı çevirip marş motörünü çalıştırdıktan yirmi dakika sonra, Haliç'i geçip müteahhidin Aksaray'daki evine vardılar. Önce vâlide, elinde çiçekle taksiden indi. Heyhât ki, Peder'in yanında taşıdığı paketteki lokumları, bagajdaki çocuk, delikten elini uzatıp teker teker yemişti. Ama Efen-

dimiz'in cebindeki para destesi sözkonusu olunca, kız iste-
mek için bir demet çiçek de yeterdi. Kapıda, üstünde ceket,
altında çizgili pijama ve ayaklarında terlikleri olduğu hâl-
de müteahhit onları sıcak karşılamasına rağmen, Klark Ke-
bıl nâm artise âşık Dilârâ'nın suratı enikonu asıktı. Efendi-
miz'in gönül verdiği Muallâ ise, belli belirsiz gülümsüyor-
du. Oğlan tarafı doğruca misafir odasına buyur edildi. Bu-
rada minicik yavru bir kedi, az önce pederine atkı ören Mu-
allâ'nın yün yumağıyla oynamaktaydı. Neden sonra yuma-
ğı bırakıp Efendimiz'i hedef belleyen bu yaramaz kedi ona
doğru seğirtti ve tırnakları yardımıyla bacağından yukarı
çıkmaya çalıştı. Ama o, kediyi alıp ikide bir yere koyuyor,
fakat hayvancağız da yılmıyordu. İdris Âmil Hazretleri kedi-
cikle uğraşadursun, kızlar sırayla kolonya şeker tutmuşlar-
dı. Filitreli cıgara ikram edildi ve usûlen hâl hatır sorulup
havadan sudan konuşulduktan sonra, nihayet Efendimiz'in
pederi baklayı ağzından çıkardı ve müteahhit beyin kızı
Dilârâ'yı, Allah'ın emri ve Peygamber'in kavliyle oğluna is-
tedi. İyiydi hoştu amma, müteahhit, "Verdim gitti!" demek
yerine sinsi sinsi düşünüyordu. Bu umulmadık hâl sebebiy-
le ortalığa sessizliğin çöktüğü işte tam bu sırada Dilârâ, gü-
müş bir tepsi içinde kahveleri getirdi ve görücülere kıdem
sırasına göre ikram etti. İdris Âmil Hazretleri'ne hâliyle, en
köpüksüz olanı kalmıştı. Fincanı eline alıp tam dudaklarına
götürecekti ki, ikide bir bacağına tırmanan kedicik bu kez
pantolonunun paçasından içeri girdi. Aksi gibi hayvan aşa-
ğı inmiyor, tırnaklarını Efendimiz'in derisine geçirerek da-
ha da yükseklere, yani daha hassas bölgelere tırmanıyordu.
Rezâletin eli kulağındaydı! Kedicik, tırnaklaya cırmaklaya
pantolonunun içinden apış arasına kadar çıktığında Efendi-
miz dayanamayıp acıyla bağırdı! Neden sonra fincanı bıra-
kıp misafirlere arkasını döndü ve kemerini gevşetip kedici-
ği içeriden aldıktan sonra rahata erdi. Odadaki herkes ciddî-

leşti. Gözlerini deviren Dilârâ suratını asıp, iki kişilik oldu-
ğu hâlde, genişçe kalçaları sebebiyle tek başına anca sığabil-
diği kanepeye çökerken, balyemez topundan fırlayan gülle-
ler kadar iri kalçalarındaki yağın olanca ağırlığı kanepenin
yaylarını adamakıllı ezip gıcırdatmıştı. Bu sırada Muallâ bir
sandalyeye oturmuş, nezaket gereği misafirlerden tebessü-
mü eksik etmiyordu. Sessizlik fazla sürdüğü, yani müteah-
hit bir cevap vermediği için İdris Âmil Hazretleri yerinden
doğrulup, para dolu zarfı müstakbel kayınpederine uzat-
tı. Adam onca misafirin gözü önünde, pek de utanıp sıkıl-
madan zarfı açıp içindeki parayı tam üç kere saydıktan son-
ra, "Tamam. Ben babası olarak kızımın seninle evlenmesine
izin veriyorum. Paramı aldım ve günah benden gitti. Ama
bakalım onun gönlü var mı sende?" deyiverdi. Efendimiz'in
gözleri parlayıvermişti! Demek Dilârâ'dan da kurtulacak-
tı. Ama müteahhit sırıtarak, "Kızımla evlenmeye senetle söz
verdin. Ama henüz evlenmiş değilsin. Ancak Dilârâ'yı ikna
edip tavladığın ve onunla dünyaevine girmeyi başardığında
sana senedi de kafa kâğıdını da veririm," demekteydi bir de.
Daha neler! İşte o anda Efendimiz'in başından aşağı kaynar
sular döküldü. Demek oluyor ki, bu belâ-yı berzahtan hâlâ
kurtulmuş değildi. Kayınpederi olacak adamın lâfını işitin-
ce, umutsuzlukla koltuğuna çöktü. İşin en kötüsü başı dö-
nüyor, gözleri kararıyordu. Bu yetmiyormuş gibi, bir de kar-
nı gurul gurul guruldamaya başlamıştı. Aile büyükleri hoş-
beş ederken o, âzamî gayretle kendini tutmaya çalışmaktay-
dı. Guruldayan bağırsaklarındaki gaita, koçbaşı ile kale ka-
pısına hücum eden eski zaman askerleri gibi makatına gelip
gelip gidiyor, Efendimiz altına kaçırmamak için tüm kudre-
tini ve iradesini seferber ediyordu. Ama en nihayet dayana-
mayıp, utana sıkıla kenefin yerini sordu. Aksi gibi helâ, evin
tâ bahçesindeydi! Merdivenden aşağı koşar adım aşağı inen
İdris Âmil Hazretleri evin arka kapısından bahçeye çıktığın-

da, cânhırâş bir çığlık atarak derhal helâya koşturdu. Şimdi anlıyordu: Dilârâ denilen o kız, içtiği kahveye müshil koymuştu.

Bu iş, elbette böyle devam etmezdi! Bu yüzden Efendimiz o esnadaki umutsuz ve yılgın hâlet-i rûhiyesi gereği, icap ederse bu memleketten kaçıp gitmeye karar verir gibi oldu. Çünkü hem Kasımpaşa ve hem de şehir, artık yaşanacak bir yer olmaktan çıkmıştı. Elinde âsâ, münzevîler gibi çöllerde dolaşmaya, artık hakikati görüp mutsuz olmaktansa serap görüp mutlu olmaya, bir kum çukurunda icap ederse geberip gitmeye ve naaşının çakallarca kemirilmesine rıza göstermeye razı olmuş gibiydi. Gel gör ki, helâda hâcetini giderdikten sonra, içindeki sıkıntının hemen hemen tamamını attı ve ruhunu bir umut ateşi tutuşturdu. Bu ateş, gözlerinin parlamasına da sebebiyet vermişti. İşte bu parıltıyla karanlık ve kasvetli bahçede bir iki adım yürüyen İdris Âmil Hazretleri, bahçe duvarından sokağa atlayıp cebinde kalan az bir parayla başka diyâra, başka hayata, başka kadere hicret etmeyi düşünüyordu. Daha fazla zulüm çekmemek muradıyla bu kararı derhal icrâ etmek için yüksekçe bahçe duvarına tırmandı ve sokağa atladı. Ama eyvâhlar olsun! Karşısına iki karanlık şahıs çıkmıştı!

Onları hemen tanıdı. Sıska olan başına sarık sarmış ve bunun üzerine yine fötr şapka geçirmişti. Cüsseli olan ise, hep olduğu gibi o esnada da susuyordu. Sıska adam cübbesini aralayıp, kuşağına sokulu kör testereyi gösterdikten sonra, "Bu evden kimse firar edemez. Senetten de verilmiş sözden de kaçış yoktur. Müteahhit Bey'in kızıyla evlenmediğin takdirde olacakları biliyorsun," demişti. Anlaşılan o ki, Efendimiz firar etmeye kalkarsa iri cüsseli adam onu kucaklayıp kıskıvrak tutacak, sıska olan da boynunu kör testereyle kıtır kıtır kesip kellesini müteahhide götürecekti.

Kör testere ve kör talih!

Film çekiminden bir gün önce İdris Âmil Hazretleri müteahhidin kapısını çaldı. Sözlendiği Dilârâ'yı alıp, el mecbur dolaştırmaya çıkaracaktı. O anda en büyük umudu, kızının namusuna pek düşkün müteahhidin, yanlarına gözlemci sıfatıyla bir üçüncü kişiyi, yani servi boylu Muallâ'yı vermesiydi. Nitekim öyle oldu da. Bunu bekleyen Efendimiz o soğukta, pazularını gösterecek şekilde kollarını sıvadığı bir yün gömlek giymiş, sol bileğine meşin bileklik, beline ise koskoca parlak tokalı kalın bir kemer takmıştı. Tabancası, kızların fark edebileceği şekilde cebindeydi. Bu hâliyle tam bir afili erkekti işte! Hele yarın o filim çekilmeye görsün, hele bir de sinemada oynasın, Muallâ ona inan olsun ki tav olurdu! Üstüne üstlük kısmet olursa, kaleme alıp Muallâ'ya ithâf edeceği şiir kitabı işin kaymağı olacak, aşkına cilâ çekecekti. Kafasında bu planlarla Efendimiz kızları İstiklâl Caddesi'ne götürdü. Epey bir yürüyüp sağa sola, vitrinlere ve insanlara baktılar. Fakat bu sırada, tâ karşıda Efgan Bakara beliriverdi. Önce, selâm vermeye çekinmişti. Üstünde o kumaşı artık iyice eprimiş, ama ütülü ve düzgün siyah takım elbise, meşin gibi parlayan kravatı, yakaları hasarlı ama tertemiz ve bembeyaz gömleği vardı. Her ne kadar görünmese de, dört senedir giydiği ve kaldırım arşınladığı ayakkabılarının tabanındaki deliklerin büyüklüğü, herhalde pençelerinin iki misli olmuştu. Onu görünce İdris Âmil Hazretleri'nin gözleri parladı. Bu enayi, kızları eğlendirip güldürmek için talihin karşısına çıkardığı bir fırsat olsa gerekti. Böylece Muallâ, Efendimiz'i bu kaşalotzâde ile bir mukayese eder, bu sayede kadir kıymet bilirdi. Fodulu kolundan tutup çeken İdris Âmil Hazretleri onu kızlara, 'kurbağalarla uğraşa uğraşa onlara benzemiş bir âlim' olarak tanıttı. Ama Efgan Bakara, büyük bir memnuniyetle, "Müşerref oldum hanımefendiler!" demişti. Hele hele Efendimiz'in sözlendiğini öğrenince, tebrik için üçünü birden muhallebiciye davet etti. İçeride oturduklarında Efendimiz bu enayiye ikide bir 'kurbağacı' diye takılıp bazen de el şakası yapsa da kızlar pek gülmüyor, ama Efgan Bakara durmadan gülümsüyordu. Muhallebilerini yedikten sonra enayi nihayet, âşıkları yalnız bırakmak için kalkması gerektiğini anladı ve garsondan hesabı istedikten sonra nihaî olarak şunları söyledi:

"Sizlere saadet dilerim. Arkadaşım İdris'i iyi biri olarak tanırım. Dilerim ki onun nail olduğu saadete ben de erer ve sizlerden biri gibi gayet hoş bir hanımla evlenirim. Zaten en büyük hayalim, elbette tahsilim hariç, bütün gücümle çalışıp çabalayarak evime eli dolu gelmek ve çocuklarımın başını okşadıktan sonra, hanımımın o güzel yüzüne bakmaktır. Başkaları ne derse desin, bir hanımın yüzündeki güzellik, ona şefkatle bakan erkeğin gözlerinden yansıyan aşktır. Buna inanırım. Hoşça kalınız efendim!"

Efgan Bakara masadan kalkarken servi boylu Muallâ'nın eli, onun eline gider gibi olmuştu. Bu güzel kız, kapıya doğru yürüyen delikanlının arkasından, yüzünde olağanüstü bir tebessüm olduğu hâlde bakakaldı. Gelgelelim, Klark Kebîl'a âşık olduğu için gözü başkasını görmeyen Dilârâ'nın suratı hâlâ asıktı. Kurbağa, onları eğlendirmişe benzemiyordu. Olsun! Bedava muhallebi yemişlerdi ya!

Evet, olsun! Efendimiz nasıl olsa şöhret yolunda ilerliyordu. Bu yüzden onları etkilemek için fırsatları vardı. Zaten artis ajansına söz vermiş bulunduğu gibi, ertesi gün çekim için Yeşilçam'da bir yerdeki film setine gidecek ve sanat nedir cümle âleme gösterecekti. İşte bu yüzden müstakbel karısı ve baldızını taksiyle evlerine bırakırken gülümsüyordu. Kapıda onları karşılayıp Muallâ'ya suratıyla âdeta, "Nasıl geçti? Terbiyesizlik yaptı mı? Mıncık pandik oldu mu?" diye soran müteahhide aldırmadan, aynı taksiye atlayıp Kasımpaşa'ya döndü. Sedire uzanıp bir gerindikten sonra olmadık hayaller kurmaya başladı. Hayaller bir iken iki, ikiyken dört, dörtken sekiz oluyor ve bu sayı geometrik olarak artıyordu. Hayaller bu sûretle zihnini adamakıllı boğduğu için, Efendimiz gece uykuya dalamadı. Gün ağarana kadar talih kuşu gibi öten horozların sedalarını dinledi durdu. Sabaha karşı ezanlar okunduğunda, işleri rast gitsin diye, Arap Camii'ne varıp niyet ederek namaza bile durdu ve sinemada mühim bir şahsiyet, meşhur bir artis olmak için ellerini havaya açıp niyâzda bulundu. "Âmin," deyip mübârek suratını sıvazladıktan sonra camiden çıkıp Yeşilçam'a doğru adım adım yürüdü. Sokaklar bomboştu. Hele hele, filmin çekileceği o epey eski, sıvaları dökülmüş, pencereleri sımsıkı kapalı bina, âdeta terk edilmişti. Bu yüzden İdris Âmil Hazretleri o civardaki tek çay ocağında tam yigirmi bardak demli çay içti. Bu miktar midesini kazındırmış, daha kötüsü sinirlerini allak bullak etmişti. İşin kötüsü, kendisine verilen saat gelmesine rağmen binaya giren çıkan olmuyordu. Bu yüzden bir buçuk saat daha beklemek zorunda kaldı. Nihayet elinde anahtar ve ağzında cıgarayla biri gelip kapıyı açtı. Bunu hırpanî kılıklı ışıkçılar ve her biri hamaldan farksız birkaç set amelesi takip etmişti. Efendimiz de, bir cesaret, içeri girip oracıkta bir sandalyeye çöktü ve rejisör muavinini beklemeye koyuldu. Neden sonra gençten biri yanına yaklaştı ve hayvan pazarında at alıyormuş gibi İdris Âmil Hazretleri'nin çenesini tutup bir kaldırarak dikkatle muayene etti. Derken, oradaki bir hırpanî şahsa, "Tıraş et şunu, sinekkaydı olsun!" diye buyurdu. Zaten adamın bir elinde ustura, diğerinde ise köpüklü fırça vardı. Efendimiz'in sadece çenesi ve az buçuk da yanaklarında tüy olduğundan işi uzun sürmeyecekti. Ardından muavin, kostümcüyü çağırdı ve kulağına bir şeyler fısıldadı. Kostümcü, Efendimiz'in beden ölçüsünü bile sormadan ona, "Çıkar üstündekileri!" demişti. Anlaşılan, jönlere yaptıkları gibi, tıraş ettikten sonra ona şık bir elbise, meselâ smokin falan giydireceklerdi. Çünkü çektikleri film, bir aşk ve ihtiras filmi olacaktı. Bu hâdiseler cereyan ederken, nihayet rejisör de arz-ı endâm etti. Kıyafeti gayet fiyakalı olan bu şahsın işaretiyle, üzerinde sadece don olan Efendimiz'i bir odaya aldılar. Yatak odasıydı burası ve anlaşılan İdris Âmil Hazretleri, ayıptır söylemesi, bir hanımla yatağa girecekti. Kamera hazırdı. Bütçe düşük olduğu için prova mrova da yapılmayacaktı. Bu esnada kostümcü, Efendimiz'in başına şapka gibi tüylü bir şey geçirdi ve tepesinden epey bir bastırdı. Akabinde rejisör, Efendimiz'e, "Yatağa gir. Yüzükoyun yat. Yorganı omuzuna kadar çek ve âşığının gelip yatağa girmesini bekle. O gelip omuzuna dokununca, dönüp âşığına sevgiyle bak," diye tâlimat verdi. İdris Âmil Hazretleri yatağa girdi ve yorganı çekti. Binlerce mumluk lambalar şak diye yanıverince ortalığa bir hararet yayılmıştı. Ardından rejisörün sesi duyuldu:

"Motör!"

Bir set amelesi, üzerinde sahne, tarih ve rejisörün ismi tebeşirle yazılmış çekim tahtasını kameraya tuttu.

Evet! Önce yatak odasının tahta döşemeleri gıcırdamış, ardından da hakikaten, yatağa biri girmişti. Çok geçmeden irice bir el, Efendimiz'in omuzuna dokundu. İdris Âmil Hazretleri de, tıpkı kendisine tembih edildiği gibi dönüp âşığına sevgiyle baktı. Oooooo! Ama o da ne!

Yanı başında, süpürge misâli kapkara gür bıyıklı, izbandut gibi bir adam yatıyor ve o da Efendimiz'e şehvet ve muhabbetle gülümsüyordu. İşte tam bu sırada bir flaş patladı ve bir fotoğrafçı filmin reklam fotoğrafını çekti. Neye uğradığını şaşıran Efendimiz, başında tüylü şapka sandığı şeyi çıkarıp eline aldığında bunun, sapsarı bukleli bir kadın peruğu olduğunu görüverdi! Rejisör işte bu sırada, "Keees!" diye bağırmıştı. Ardından muavin Efendimiz'e, "Rolün işte bu kadar. Git muhasebeciye, 35 kuruş ücretini ödesin," demişti.

Gözü kör olmayasıcalar! Anlaşılan, kadın oyuncu bulamadıkları için İdris Âmil Hazretleri'ni kurban seçmişlerdi.

Sinemada oynar da, bu kadın karakterin Efendimiz'in bizzât kendisi olduğu anlaşılırsa, ona şöhret yolu gerçekten açılır, ama bu yol, Muallâ'nın koynuna değil, bir kulamparanın kucağına giderdi. Şimdi daha bir erkeksi davransa, meselâ bıyık falan bıraksa fena olmayacak gibiydi. Heyhât ki bıyığı da henüz fazla gür sayılmazdı ve bıraksa, kenef süpürgesi gibi dururdu. Kafası fena hâlde bozulmuştu. Eve dönerken bakkaldan bir otuzbeşlik aldı. Gazeteye sarılı rakıyla eve geldiğinde hüngür hüngür ağlamaya başladı. O rolü oynamakla sanki karpuzu çizdirmiş gibiydi. Meze marifetiyle şişeyi hemen yarıladı. Gece yarısına doğru bitirdiğinde ise, artık yaş kalmayan gözlerinden uyku akıyordu.

Sabah olup vakit ilerleyince, gam dağıtmak istedi ve sözlüsünü ziyâret etme bahanesiyle Muallâ'yı bir görmek için müteahhidin evine kadar gitti. İllâ ve lâkin, adamın suratı asıkçaydı. Çünkü elinde bir mecmûa vardı. Bir mecmûaya, bir Efendimiz'e bakıyor, âdeta gördüğü iki şeyi mukayese etmeye, belki de eşleştirmeye gayret ediyordu. Müstakbel kayınpederi mecmûayı İdris Âmil Hazretleri'ne uzattıktan sonra, "Sen bir benzerlik görebiliyor musun? Bu âşifteyi sanki gözüm bir yerden ısırıyor," demişti. Mecmûayı alan Efendimiz, daha dün sinema setinde, namussuz fotoğrafçı tarafından çekilen kendi fotoğrafını tanıdı. Fotoğrafı çeken cibilliyetsiz, ekmek parası için resmi üç kuruşa bu mecmûaya satmıştı. Sarı bukleli peruk kafasındaydı. Resmin altındaki manşet şöyleydi:

## ALMAN GÜZELİ ŞÛH İRİS AMİR AÇIKLADI:
### "MEMLEKETİNİZİN ERKEKLERİ GAYET AZGIN"

Efendimiz kem küm etmeye başlayınca müteahhit, "Af buyur ama bu resim birini andırıyor. Belki de tesadüfî bir benzerliktir. Ama kızım Dilârâ'nın yatak odasındaki refahı da benim için önemlidir. Bu yüzden derhal Hükümet Tabipliği'ne gidip bevliyeciden, 'erkek olduğuna dair' rapor alacaksın! Raporu dosyama, senedinin yanına koyacağım," diye tutturmuştu. Ama bunu emreder gibi söylemiyordu. Tam tersi adam, bir hanımla konuşur gibi epey nazikti.

Efendimiz yürüyerek Aksaray'dan tâ Eminönü'ndeki Kültür Kıraathânesi'ne geldiğinde, günün hep o saatinde olduğu gibi, içerisi enikonu kalabalıktı. Masalardakiler, her zaman olduğu, gibi çaylarını içip simitlerini kemiriyor, hemen herkes keyiften cıgara yakmış yine edebiyattan konuşuyorlardı. Ayrı ayrı masalara oturdukları hâlde birbirlerine manzûm yahut gayrı manzûm şekilde takılıp tahkir edenler hemen hiç bozulmuyor, hemen oracıkta cevabı yapıştırıyorlardı. Efendimiz içeride, o üç kafa dengi yarenini görünce masalarına gıtti ve sandalye çekip oturdu. O esnada yaşlıca bir şâir ayağa kalkıp ortaya yürüdü ve karton bir edebiyat mecmûasında ertesi gün neşredilecek şiirini, hava fiyaka olsun diye cân-ı gönülden okumaya başladı. Şiirin adı İRİS idi.

Adam çoğu şâir gibi, İris Amir'in resmini daha o sabah mecmûada görür görmez çarpılmış, yaşına başına bakmadan oturup işte bu dizeleri yazmıştı. Dile kolay, adamı şiirini tam yigirmi sayfa boyunca aşkla koşturmuştu! Şiiri okurken kapıldığı hisse göre, bazen sesi pestleşiyor ve kelimeler ağzından biribiri ardıardına süratle çıkıyor, bazen ise yumuşuyor ve gözleri belerdiği hâlde, kaşları aşk ve şefkatle yukarı kalkıp kalakalıyor, şiirin vurucu dizelerinde de sesi gürleşip kaşları çatılırken gözleri kısılıyor ve kelimeler dudakları arasından tek tek tek çıkıp insanın kalbini güm güm güm attırıyordu. Ancak bu şiir otoritesi, dizelerini ilk mektep müdürü gibi o kadar otoriter okuyordu ki, sanki bir diktatördü de balkonundan ahaliye nutuk atmaktaydı. Hakikaten de diktatörlük, hesap kitap değil de, his işiydi. Çünkü kadın kız yanı sıra halkı da, bir muhasebeci yahut filozof-kral değil, elbette bir şâir-diktatör daha kolay tavlardı.

Şâir, kuvvetli hislerle kaleme aldığı dizelerini tükettiğinde ortalık alkıştan inledi. Adam eğilip selâm verdikten sonra kıraathânedekilere, "Bu benim değil, İlhâm Perim'in eseridir! Sanat hayatım boyunca, iyi ve kötü günümde dâima yanımda hissettiğim, ama hiç görmediğim bu periyi, işte bu sabah mecmûada gördüm, vuruldum, çarpıldım, büyülendim! Daha önce şâir olmadığımı idrâk ettim," demişti. Bunları söyledikten sonra masasındaki çantayı açtı ve içinden çerçevesi altın yaldızlı bir fotoğraf çıkardıktan sonra, "İşte bu, ilhâm perimin resmidir! Size teklifim, bu fotoğrafı, son 10 senenin 500 büyük edebiyatçısının resimlerinin en üstüne asalım ve bize ilhâm versin!" diye haykırdı. Ardından, fotoğrafı kıraathânedekilere döndürdü. Sarı bukleli saçlarıyla, o şûh İris Amir'in resmiydi bu! Herkes galeyana gelmiş alkış tutuyordu. Hattâ ağzında cıgara olduğu hâlde Panama şapkalı biri sandalyeye çıkmış, fotoğrafı asmak üzere elindeki çekiçle duvara çivi çakmaktaydı. Nihayet İris Amir'in resmi, 500 edebiyatçının en tepesinde, âdeta zirvede yerini aldı.

Bu esnada, kıraathâne sakinlerince teşhis edilebileceği endişesiyle diken üstünde oturan İdris Âmil Hazretleri, muhtemel bir mukayese tehlikesine karşı suratı görünmesin diye hasır şapkasını indirerek kendini gizlemeye gayret etmekteydi. Kıraathânede, yerlerinden kalkıp şûh İris Amir'e eliyle öpücük gönderenlerin, "Ohu yavrum! Ohu pilicim! Seni kim doğurdu!" diye nidâ edenlerin, iki parmaklarını ağızlarına götürüp hayranlık ıslıkları çalanların sebebiyet verdiği hercümerci fırsat bilen Efendimiz derhal oradan sıvıştı. Çünkü kıraathânede biraz daha kalsa tuhaflık sezilebilirdi. Görünen o ki, İdris Âmil Hazretleri bu edebiyat muhitini kaybetmişti ve bu durum şâirlik mesleğinde terakki etmesinin önünü kesecek gibiydi. Allah vere de o meş'ûm fotoğraf fazla kişinin gözüne batmayaydı! Yoksa şâirlik vasfının hebâ olması bir yana, nâm-ı lâkabı me'bûna, labunyaya çıkabilirdi. Gel gör ki, Allah bir kapıyı kapar diğerini açardı. Edebiyat muhitini kaybetse bile, kızları Lât, Uzzâ ve Menât'a tapan Yarma İskender'in kendisine tanıdığı imtiyaz sayesinde, Kasımpaşa'daki Babalar Kıraathânesi'nde pekâlâ muhit yapabilirdi.

Böylece köprüyü geçip Karaköy'e vardı. Oradan Kasımpaşa'ya yürüyüp Babalar Kıraathânesi'nden içeri girdi. Efendimiz içeri girer girmez, hemen herkes ayağa kalkmıştı! Anlaşılan o ki Yarma İskender, yaptığı iyilikten dolayı Efendimiz'i sağ kolu bellemişti. Bu durumda İdris Âmil Hazretleri'ne gösterilen hürmet, Yarma İskender'e gösterilmiş addedilecekti. Yahut en azından Efendimiz böyle zannediyordu. Tâ ki, ona çayını getiren ocakçı, "Buyur kayınbirâder!" diyene kadar.

Efendimiz bu 'enişte' lâfına pek bir anlam verememişti. Ama çayını içip bitirince, ısmarlamadığı hâlde bir ikincisi geldi. Güler yüzle selâm verdiğine bakılırsa, yan masada oturan ve Efendimiz'in tanımadığı bir şahıs ikram ediyordu çayı. İlk yudumu aldığında, bu şahıs da, "Âfiyet olsun kayınbirâder!" demişti. İdris Âmil Hazretleri afallamış, sağa sola bakınmaktaydı. İşte böylece duvara asılmış, o, ŞÛH İRİS AMİR'in resmini gördü. Resmin ahşap çerçevesinin üstüne bir de gül iliştirilmişti. Fotoğrafın altında, 'BACIMIZ' ibâresi vardı. Efendimiz'in resme baktığını gören kabadayılardan biri, "Allah bağışlasın, bacın aynı sana benziyor!" deyiverdi. Ne diyeceğini şaşıran İdris Âmil Hazretleri çayı bir dikişte bitirip kıraathâneden çıkarken, oradakiler yine hürmetle hep birden ayağa kalkmışlardı. Efendimiz eve vardığında kapı eşiğinde tam dört aşk mektubu buldu. Hepsi de İris'e yazılmıştı. Üstüne üstlük, adını saklamaya gerek duymayan bir şahıs da, İris Amir'i istemek için, çikolatayla dolu bir gümüş gondol göndermişti.

Bu elbette böyle devam edemezdi. Anlaşılan Babalar Kıraathânesi'ndeki muhit de elden gitmekteydi. Geriye, Galata'daki Muhtar'ın camiası kalıyordu. Kuru gürültüye pabuç bırakmayacak bir şahsiyet olan Efendimiz, aklına gelen parlak bir fikirle, eline tükenmez kalem ve kâğıt alıp şu listeyi hazırladı:

1- *Mevcûde'nin Çekilmez Hoppalığı*
   Müellifi: İlhan Kundura
2- *Pederler ve Mahdûmlar*
   Müellifi: İrfan Turhangil
3- *Cemazziyelevveli Yoklarken*
   Müellifi: Parsel Pürüz
4- *Sanatkârın Terbıyık Olarak Sûreti*
   Müellifi: Cezmi Coz
5- *İstifrâğ*
   Müellifi: Cankul Serter
6- *Nurdan Camii Kamburu*
   Müellifi: Fikret Fügo

Kâğıdı katlayıp gömlek cebine sokan İdris Âmil Hazretleri'nin gözleri ışıl ışıldı. Çünkü edebiyat hayatı bitmemiş, tam tersine daha yeni başlıyordu! Üstüne ceketini, başına da o hasır şapkasını geçirdikten sonra heyecanla dışarı çıktı. Doğruca Kasımpaşa'daki, Germinal Kırtasiye'ye gitti. Emekli bir edebiyat mualliminin işlettiği bu dükkânda, ilk mektep talebeleri için defter kalem silgi, konuşan sözlük, abaküs ve benzeri malzemelerin yanı sıra, çocuklara özet çıkarmaları için ödev olarak verilen kitaplar da satılmaktaydı. Paraya kıyan Efendimiz, cebindeki kâğıdı çıkarıp listedeki beş kitabın tamamını aldı. Paketlenen kitapları koltuğunun altına sıkıştırıp Galata'daki o malûm sokağa, Muhtar'a bir iş teklifinde bulunmaya yollanacaktı. Az önce aklına gelen fikri kafasına muhakkak Homer'in ilhâm perisinden daha akıllı ve cazgır bir peri, belki de bir ifrit sokmuş olmalıydı. Evet! Edebiyat hayatında tâ bugüne kadar yanılmıştı! Büyük bir muharrir olmanın en kolay yolunu bulmuştu! Hem de öyle böyle değil, tez zamanda sayısız roman çıkaracaktı. Gelgelelim bu işin tek acı tarafı, günlerdir mazeretsiz uğramadığı camiada, Muhtar'ın daha görür görmez onun suratına çarpacağı tokattı. Nitekim böyle de oldu!

"Bu meslekte kaytarma olmaz! Bunca gün neredeydin!" diyordu Muhtar. Bir de onu, yaşı daha gelmediği hâlde gönüllü mahpus olarak cezaevine yollamakla tehdit ediyordu. Efendimiz ise acıyla yanan sol yanağını ovuşturarak ona, eli boş gelmediğini, Allah'ına kitabına vurgunu vurduğunu, volinin ise aha işte burada olduğunu söyleyip koltuğuna sıkıştırdığı paketi uzattı. Paketi alan adam ambalajı yırtıp açtığında kitapları gördü. Ama bunlar, onun için elbette bir mânâ ifade etmiyordu. Çünkü Muhtar, okuma yazma bilmezdi. Elini kaldırmış bu beyhûde kitapları Efendimiz'in suratına tam fırlatıyordu ki, onun kendisine hınzırca baktığını, hattâ neden sonra bir göz kırptığını görünce duraksadı. İdris Âmil Hazretleri kolunu Muhtar'ın omuzuna atıp, onun kulağına daha şimdiden birtakım esrarengiz lâflar fısıldamaya başlamıştı bile. Muhtar önce ilgilenmeyip başını çevirir gibi olduysa da, bir müddet sonra suratında düşünceli bir ifade peydâ oldu. Galiba, işittikleri yabana atılır lâflar değildi. Çünkü Efendimiz, hırsızlık mesleğinde muhafazakârlığa mahal olmadığını, bu sanatta bir inkılâp yapmak gerektiğini söylüyordu. Anlattığına göre, hırsızlar camiası dükkân önünde tabureye oturup müşteri bekleyen esnaf bezginliğinden kurtularak, mesleğin akıllara durgunluk veren bu branşına da el atmalıydı.

Orada başka hiç kimse olmamasına rağmen Efendimiz, Muhtar'ın kulağına ağzını götürerek bu esrarengiz hırsızlık

metodunun teferruatını fısıldadıkça adamın yüzü gülmekte
ve kıvançtan ellerini ovuşturmaktaydı. Nihayet koynundan
iki deste banknot çıkarıp Efendimiz'e uzatırken, "Al şunu
ve gerekli vâsıtaları tedarik et. Sokağın başındaki boş kırmı-
zı evi bu işe tahsis ediyorum. Ama bir hafta içinde netice is-
terim, ona göre!" diyordu. Gönlü epey hoş olduğundan mı-
dır, kapıdan çıkarken Efendimiz'i bir gülmedir tuttu. Emi-
nönü'ne geçip yokuş yukarı çıkarken matbaalardaki 'satılık
linotip,' 'satılık baskı makinası,' 'matbaa levâzımı' ilânlarına
bakıyor, bazen içeri girip elleri mürekkepli ustalarla pazar-
lık ettiği bile oluyordu. Bu iş akşama kadar sürdü. Nihayet
yatsı vakti, kasası dolu ve üzerine branda örtülmüş, egzosu
patlak bir kamyonet Galata'daki o malûm sokağın başında-
ki kırmızı evin önünde motörünü istop ettirdi. Kasadan aşa-
ğı atlayan hamallar, baskı makinasını, linotipi, dört koskoca
top kâğıdı ve benzeri matbaa levâzımâtını işte bu eve taşıdı-
lar. Gece karanlığında, kırmızı evin kapısının hemen üstüne
bir tabela çivilendikten sonra, herkes bu mahalli terk etti. O
gecenin sonunda nihayet güneş doğduğunda, neşrettiği ışık
evin tabelasını aydınlattı. Tabelada şöyle yazılıydı:

## KARMANYOLA
## YAYINEVİ

Geçen gece tâ yatsıya kadar onca teçhizatı taşıtıp oraya
buraya yerleştirttiği için enikonu yorulduğundan olsa gerek,
derin ve uzun bir uyku çeken İdris Âmil Hazretleri, yayıne-
vine ancak saat ona doğru gelmişti. Kapıyı açmak için kili-
di döndürmesine gerek yoktu. Çünkü kapıda bir kilit bulun-
muyordu. Bunun sebebi elbette, hırsızların kendi mallarını
çalmasının abes olmasıydı. Efendimiz'in yanında siyah ön-
lüklü ve kolalanmış beyaz yakalı iki kopille, elinde eski ve
ağır bir tahta çanta ile kabak kafalı, ve hem yağlı Fedora şap-

kasına hem de kötü dikimli trençkotuna bakılırsa fiyakasına düşkün görünen bir orta mektep talebesi vardı. Kopiller olsa olsa, en fazla ilk mektep üçüncü sınıftaydı. Ayaklarında, sahici ayakkabı şekli veren kalıplarda preslenmiş, siyah kauçuk pabuçlar vardı. Kafaları sıfır numara tıraş edilmişti. Onlardan daha büyük orta üç talebesinin ise kabiliyetli olup olmadığını, zeki mi ebleh mi olduğunu insan ezkaza kendine sorsa, oracıkta apışıp kalırdı. Bu talebe o ahşap çantasında dâima, insan sedasını makaraya sarılı tele kaydeden bir Pirs 55-B cihazı taşırdı. Daha ilk mektepte okuma yazmayı sille tokat öğrenen bu talebe, ilme irfana tövbe etmiş, tâ orta üçe kadar yükselmesi de kopya sayesinde olmuştu. İşte, kayıt cihazını da kopya için kullanıyordu. İmtihandan bir gece evvel dersi kayıt cihazına okuyor, sınıfa girip yerine oturunca da, akümülatörlü cihazını çalıştırıp, avuç içine sakladığı 4 kilo omluk kulaklıktan dersi imtihan boyunca dinliyor, cevapları teker teker yazıyordu. İmtihansız günlerde zâlim hocalar ders anlattığı için de canı fena hâlde sıkılıyor, bu sebeple cihazın radyo kısmını açıp, ya naklen fitbol müsâbakası yahut ajansı dinliyordu. Gel gör ki, ahşap çanta içinde bu ağır cihazı taşımaktan sağ omuzu aşağı düşmüştü. Ama bu hususiyet, onun cazibesinden bir şey eksiltmiyordu. Çünkü kopyacı olduğundan, kendisine Hristiyan Diyor'un tasarladığı trençkotun aynısını diktirmiş, hattâ üşenmeyip markasını bile kopya etmiş, daha sonra çoğaltarak Mahmutpaşa'da satmıştı. Mektepte başarılı olduğu yegâne ders resim idi. Doğrusu, meşhur ressamların o muazzam eserlerini gayet iyi kopya ediyordu. Bu konuda muvaffak olduğunu fark ettiğinde, "Definci" diye bir sanatkârın eserini sahici diye Kapalıçarşı'da tam 200 liraya satmıştı. Hattâ eniştesinin atölyesinde, dâima yanında taşıdığı Pirs 55-B kayıt cihazının tam dört kopyasını yapmış, bunlar ise hakikî diye 35'er liradan alıcı bulmuştu. Gel gör ki, kopyacı talebe, önünde örnek olmadan hiçbir şey yapamıyordu. Çünkü hayal gücü sıfırdı. Eğer ona, "Gözlerini kapa ve sonra, istediğini düşün, ama mor bir fil düşünme," dense, zihninde fil mil bile canlanmazdı.

İçeri girdiklerinde Efendimiz, elektrik düğmesini çevirip tavandan sarkan yigirmi beş mumluk ampulü yaktı. Lambanın neşrettiği ziyâda, epey eski ve hazneleri hurûfâtla dolu koskoca bir dızgi aparatı, metal aksamı kısmen parlayan ve kısmen paslanmış bir baskı makinası göründü. Etraf daha şimdiden ucuz matbaa mürekkebi ve üçüncü hamur kâğıt kokmuştu. Efendimiz kopillerden birini harf dizmeye yarayan linotipin başına oturttu. Kopilin ayakları yere değmiyordu. Gerçi bu iş çocuğa başta zor gelecekti, ama hata yapa yapa elbet mükemmel bir dizgici olabilirdi. İkinci kopil ise bir tabureye oturmuş ve önündeki masaya, İdris Âmil Hazretleri'nin listesindeki 5 edebiyat şâheserini açmıştı. Ayrıca elinde, bu kitaplardaki bütün karakterlerin ve mahalle isimlerinin tam bir listesi vardı. İşte bu çocuğun vazifesi, kitapları baştan sona sırayla, kopyacı orta mektep talebesine okumaktı. Çünkü okumak, kopyacıyı sıkardı. İşte bu talebenin vazifesinin en can alıcı noktası, okuduğu anda bir karaktere yahut memleket ismine rastladı mı, elindeki listeye bakıp derhal bunu değiştirmekti. Öyle ki, okuma sürdüğü esnada, listedeki isimler tükendiğinde tekrar başa dönecekti. Hemen işe başladılar. Böylece Zebbihan kütüphanede bir çocuğa sarkıntılık edecek, Esmer Ayla'ya âşık olan Doktor Tınaz ise, hayatta hiçbir değere inanmadığı için, vebâlı bir cesedi incelerken elini bile bile kesip vefat edecek, imam hatip mektebine giden talebe Yergin Pazarol da müdürüne âsi olup ayıp işler yapacaktı. Taşrada bir kütüphane müdâvimi olan Kasım Hüdo, sahilde bulduğu bir deniz kabuğunu alıp çevirince istifrâğ edecek, Kırklareli eşrâfından Abdülhan ise tuhaf şahıslarla akıllara ziyan ilişkiler kurup duracaktı. Nurdan Camii müezzini Şarsuvân'a da, mukaddes mekâna sığınan ressam Sabiha'yı tiranın muhâfızlarına teslim etmediği için eziyet edilecekti. İşte tüm karakterler iskambil destesi gibi böylece karılıp harman edildiğinde, ortaya bu 6 şâheserden tamamen farklı, ama onlar kadar muhteşem 6 çalıntı eser çıkacak, böylece Karmanyola Yayınevi bu kitapları basıp dağıttıktan sonra, okuyanlar hayran kalacaktı. Usta edebiyatçıların fikirlerini çalmak elbette hırsızlıktı. Ama onların mesleği de, zaten hırsızlık değil miydi? Efendimiz'in, o zamanlar daha delikanlı olduğundan, kanı kaynıyordu. Kabına sığamadığı için kopillere ve kopyacıya 6 eser için 7 gün mühlet vermişti. Eğer bu külliyât vaktinde bitirilirse, kopilleri üç gün boyunca her sabah Baylan Pastanesi'ne bırakacak ve akşam gelip, çikolata, pasta, şekerleme, limonata olsun, artık ne abur cubur yedilerse hesabı derhal ödeyecekti. Kopyacı orta üç talebesinin mükâfatı ise, bir gün boyunca Abanoz Sokak'ta yapacağı tüm masrafların hemen ödenmesiydi. Zaten kopyacı daha şimdiden, Mısır Çarşısı'ndan aldığı altı kavanoz padişah macunundan birini bitirmişti. Bu ise, külliyâta katkısı itibâriyle gayet münasipti. Çünkü Efendimiz, tamamıyla çalıntı karakterlerden ibâret eserlere şu adları uygun görmüştü:

1- *Aşk ve Hıçkırık*
   Müellifi: İdris Âmil
2- *Sînede Aşk İnilderken*
   Müellifi: İdris Âmil
3- *Bir Damlacık Hazan*
   Müellifi: İdris Âmil
4- *Erkekler Kan Ağlamaz*
   Müellifi: İdris Âmil
5- *Hüznün Acı Kahkahası*
   Müellifi: İdris Âmil
6- *Boyunlar Bükülünce*
   Müellifi: İdris Âmil

Evet! Efendimiz edebiyatta muzaffer olmuş gibiydi. Çünkü bir 'İdris Âmil Külliyâtı' hazırlıyordu. Kısmet olur da işler daha da ilerlerse giderek genişleyen bu külliyât, ecnebî dillere, 'Opera Omnia' adıyla neden tercüme edilmesindi ki? Karmanyola Yayınevi'nin bu ilk altı kitabı da, birer birer elbette, Efendimiz'in cân-ı cânânı o servi boylu Muallâ'ya ithâf edilecek, yani bu eserler aynı zamanda bir ilân-ı aşk olacaktı.

Muallâ ile bir muhallebicide oturup onun güzel yüzünü kaçamak bakışlarla az da olsa aşkla süzebilmesi, sözlüsü o asık suratlı Dilârâ'yı İstiklâl Caddesi'nde gezdirmek bahanesiyle müteahhitten izin koparmasına bağlıydı elbet. Zaten sözlüsü de namusuna gayet düşkündü. Muhallebicide oturduklarında, araya mutlaka boş sandalye koyup siper ediyor; olmadı, içinde yün yumağı ve şişler bulunan yastık gibi çantasını, bir namus kalkanı niyetine, Efendimiz'den tarafa yerleştiriyordu. Ama artık işler değişmişti! İdris Âmil Hazretleri, koskoca bir yayınevi müdürüydü. Aynı zamanda, Allah nasip eder de o ilk mektep talebeleri ellerini çabuk tutarlarsa, tez zamanda tam 6 kitabı basılmış olacaktı.

Kitapların dizgi faslının tamamlanmasına yakın, artık keyfi ve nefsine itimadı epey yerine gelen Efendimiz, müteahhidin Aksaray'daki evine varıp sözlüsü Dilârâ'yı muhallebiciye götürmek için izin talep eyledi. Hâlâ bekârdır, lâf gelir diye onu içeri almadılar. Fakat yarı aralık kapının ardından, babanın otoriter sesi ile kızın mızmızları da işitiliyordu. Neden sonra kapıda, daha Efendimiz'i görür görmez gözlerini devirip başını çeviren Dilârâ ile, o güzeller güzeli Muallâ göründü. Şoförüne elli beş kuruş toka edilen taksi hazırdı. Bu sayede Galatasaray'a on beş dakikada vardılar. İdris Âmil Hazretleri bir centilmenlik örneği gösterip, taksiden indikten sonra hanımlara kapıyı açtı. Kızlar mağrurâne bir tavırla vâsıtadan kalabalık caddeye indiler. İşte tam da bu esnada bir çığlık koptu.

Çığlığı Dilârâ basmıştı! Hemen yanında, üstü başı gayet düzgün görünmesine rağmen suratından pislik akan bir kellifelli adam sırıtmaktaydı. Önden bir kesici dişi altın kaplamaydı ve ağzı diş macunu kokuyordu. Üstelik alyansı da vardı. Anlaşılan Dilârâ'nın o koca kalçalarını görünce bu şehvet düşkünü herif bir mıncıklamadan edememişti. Muallâ ise, ablasına sarkıntılık eden ahlâksız adama öfkeyle bağırıyordu:

"Kılığınızı gören sizi beyefendi sanır! Oysa siz, evet siz, bir hayvansınız!"

Fakat adam orada durmuş sırıtıyordu. Efendimiz ise donup kalmıştı. Çünkü kalantor adam ızbandut gibiydi. Elleri kocaman ve kıllıydı. Üstelik utanmadan, Muallâ'ya şöyle karşılık vermişti:

"Çok öfkelisin güzelim! Anlaşılan evlenme zamanın gelmiş! Ama istersen hemen şu kapı aralığında senin öfkeni dindiririm!"

Adam nedense kendisine fazla itimat besliyordu. Onuru kırılan Muallâ ise ağlamaya başlamıştı. Üstelik gelip geçenler onlara bakıyordu. Gerçi Efendimiz'in arka cebinde Dayı'nın tabancası vardı ama, elleri tâ bileklerinden titreyip duruyordu. Bu yüzden bir adım geriler gibi oldu.

Gelgelelim o ızbandut gibi adam, birden dönüp arkasına baktı. Çünkü biri sırtını dürtüyordu. Bu kişi de Efgan Bakara'ydı. Kekeleye kekeleye o dev gibi adama şunları söylemekteydi:

"Beyefendi! Lütfen hanımefendilerden özür dileyiniz ve sonra da, onların ayaklarına kapanınız! Derhal!"

Ama adam sırıtarak, "Yoksa ne olur?" diye kafa tutuyordu.

Bunun üzerine Efgan Bakara, adama bir yumruk savurdu. Ama hamle boşa gitmişti. Adam alayla gülerek Efgan Bakara'nın karaciğerine öyle bir yumruk indirdi ki, zavallı yere kapaklandı. Gözlüğü gözünden fırlamış, bir camı da çatlamıştı. Ama yerinden doğruldu ve yine boşa giden bir yumruk daha savurduğu anda, tam göğsüne şiddetli bir tekme yedi. Ağzından kan sızmaya başlamıştı. Ardından bir tekme de suratına indi. Gel gör ki, onun artık nasıl olsa yerinden doğrulamayacağına kanaat getiren adam kızlara dönüp yine sırıtırken, Efgan Bakara irade kuvvetiyle ayağa kalkabilmişti. Düşmeyip direnmek için bütün kudretini sarf etmekteydi. Adam bunu hissedip geriye döndüğünde, Efgan Bakara herifin burnuna bir yumruk indirdi. Zayıf bir darbeydi bu, ama adamın burnunu kanatmaya kâfi gelmişti. Kanının aktığını fark edince ziyâdesiyle sinirlenen zorba, ağzından burnundan kan gelen Efgan Bakara'nın tam şakağına bir yumruk patlatıp onu sersemlettikten sonra, diz kapağına tekme indirip delikanlıyı yere yıktı ve onu yerde acımasızca tekmelemeye başladı. İşte bu sırada polis gelmişti. Ama adam cebinden, babasının adının yazılı olduğu hüviyetini ve arkası ikazlı bir kartviziti çıkarıp gösterince çekip gittiler.

Muallâ, Efgan Bakara'nın başına çökmüş gözyaşı döküyordu. Delikanlının elini tutmuş, bir yandan da mendiliyle, onun burnundan akan kanı silmeye çalışmaktaydı. Nihayet, yüzünde şefkat dolu bir ifadeyle onu yanağından bir öptü. Kurbağa, galiba prens olmuştu.

Genç kız, kanlar içindeki delikanlıya sordu:

"Efgan Bey! Canınız acıyor mu?"

Aldığı ağır darbelerden dolayı bayılmadan önce, prensin ağzından şu sözler dökülmüştü:

"Aşk acısının yanında bir hiç kalır Muallâ Hanım!"

Derken, delikanlının başı yana devriliverdi.

Galiba karman çorman bir rüya başlamıştı ki, gözlerini açamayan Efgan Bakara arada bir Muallâ'nın o güzel sesini duyuyordu. Katlandığı onca ağrıya rağmen gözlerini yumabildiğinde, karanlığı değil de pespembe bir dünyayı gördü. Ama gece yarısına doğru gözlerini açtığında etraf loştu. Fakat ah keşke, hemen yanı başındaki sandalyede bir genç kız oturmuş, bekliyor olsaydı! Muallâ olsaydı keşke bu! Bu düşü görünce, her tarafı ağrıyan delikanlının, o güne kadar sızım sızım sızlayan kalbindeki sancı kesiliverdi. Sanki sinesine ağrı kesici iğne vurulmuş gibi, yüreğindeki sevda bütün bedenine nüfûz ederek, onun sabaha kadar deliksiz bir uyku uyumasını sağladı. Efgan Bakara ince ruhlu, nezih biriydi. Eğer tam tersi olsaydı belki nefes kesici hâdiseler cereyan edebilirdi. Gel gör ki, Muallâ'nın ertesi gün onu on dakikalığına ziyâret etmesi ile, acınaklı, heyecansız ve eğlencesiz hayaller kurmaya başladı: Elden ne gelir ki? Sonraki günler bir umut, Muallâ'nın ziyâretini bekleyen Efgan Bakara, değil saatleri, dakikaları, aşkla atan yüreciği saniyeleri sayıyordu. Olur ki gelirse, elini elbet ne salmaya ne de bizzât kendi gönül kafesine hapsetmeye içinin varmadığı ürkek bir güvercinmiş gibi tutacak ve asla bilekten yukarı çıkmayacaktı. Birbirlerine olan hisleri, o âna kadar zifirî bir geceye hapsolmuş gönüllerinin seheri olacaktı âdeta. Hastanedeki yatağında Efgan Bakara'nın düşlediği kadarıyla, iki ellerini de birleştirmiş sevgililerden biri yüzünde hüzünle dinlediği sırada, gözleri yere yönelmiş diğerinin titreyen dudaklarından sevda sözcükleri dökülecek, ve bu ciğerpâreler bazen buğulu rüyaların, bazen de mütereddit hislerin kıpırdandığı gözlerle, arada bir kaçamak kaçamak, zaman zaman da alenen birbirlerini süzeceklerdi. Sanki bakışları yekdiğerine değil, aşk perilerinin sevda değnekleri kalplerine deği değiverecek, ve sinelerinde toz pembe saadet kıvılcımları uçuşacaktı. Falan filân! Bir şeyler! Bir şeyler! Püfff!

Esasında, böylesi usandırıcı sulu zırtlak hususları, bu kördüğümde ehliyet sahibi erbâba havale ederek Efendimiz'e dönmek gerekirdi! Bir haftalık müddet nihayet bulduğu vakit, ona Karmanyola Yayınevi'nde bir piyango çarpacağını söylemek doğru kaçacaktı. Bu da elbet, Muhtar'ın tokadıydı. Hakikat'ten kopya çektiği için yine ona ihanet etmiş bulunan orta üç talebesi, tam bir hafta Abanoz Sokak'tan çıkmama mukabilinde, bu kez İdris Âmil Hazretleri'ne hainlik ederek, onun haklarının tamamı yayınevine ait olan 6 eseri de, bizzât kendi adı ile bastıracağını jurnallemişti. Bu, hayallerine çarpıp dünyasını darmadağın eden bir piyangoydu. İzzet-i nefsine çarpan ikincisi ise, yayınevinin neşredeceği bütün eserlerin müellifi olarak kendisinin değil, şu mümtâz ismin seçildiğini görmesiydi:

## MUHTAR LÜPEN

Efendimiz'in suratına şaplağı şaplattıktan sonra öfkesi bir nebze dinen Muhtar'ın yanında bir terzi, elinde mezuro ile, eserleri pek yakında okuyucu tarafından kapışılacak bu büyük romancının ölçülerini alıyordu. Devetüyü kumaştan palto ise neredeyse bitti bitecekti. Muhtar, bir san'atçıya yaraşır bir şekilde kaşmir bir ceket ile ona uygun ekoseli bir pantolon diktirerek, âsi kimliğini vurgulamak istiyordu. Gıcır gıcır ikişer çift makosen ise daha şimdiden hazırlanmıştı bile. İşin tuhafı, hırsızlar camiasının reisi olan Muhtar, romanları basılacağı için sanatkârane bir hassaslığa da yakalandığından olsa gerek, hayaller kurmaya da başlamıştı. Ama hakkını vermeli! Adam ayağını yere sağlam basmaktaydı ve dolayısıyla hayalleri gerçekleşecek gibiydi. Nitekim, ilk romanı dağıtıldığında yer yerinden oynayacaktı. Edebiyat camiası aralarında bu yeni parlayan simayı tartışadursun, Karmanyola Yayınevi Muhtar Lüpen'in ikinci romanını da dağıtacak, bu esnada ilk eseri ikinci baskıyı yapacaktı. Gel gör ki, adamın azmi ve hırsı, hem edebiyat ve hem de hırsızlar camiasında pek hoş karşılanmayacak, ve bu Edebiyat Devi, Lilliput Sultanlığı'ndaki öfkeli cücelerin hasetten pırıl pırıl parıldayan gözlerinden kopup gelen yıldırımları çeken bir paratoner olacaktı. Belki de arada bir kocakarı çağırıp kurşun döktürmesinin nedeni bu idi.

İlk romanı piyasaya çıktığında kapış kapış gitti. İkinci romanı basılıp dağıtıldığında ise, artık meşhur bir romancı olmuştu. Bir kitapevi onun için imza günü bile düzenledi ve bu son da olmayacaktı. Ona imza atmayı, kendisinden Fedora şapkasını da ödünç aldığı orta üç talebesi öğretmişti. Gerçi bu şapka ona biraz küçük geliyordu ama bunu görenler, adamın bu romanları ancak ve ancak altmış numara kafasıyla yazabileceğine kalıplarını basıyorlardı. Evet! Birçoklarının gözünde o bir dâhi idi. Fakat böyle görülmesi, kıskançlık cehenneminin kapılarının açılıp orada azap içinde kıvrandıklarından dolayı gazâba gelmiş ve yetenekli muharrir kanına susamış haset cücelerinin onun üzerine salınmasına yol açacaktı. Olağan şahıslar Başarı'nın, Meryem gibi bâkire olduğuna inanırlar ve bir tabu olarak gördüklerinden, O'na ne dokunur ne de bir başkasının dokunmasına izin verirlerdi. Eğer bir densiz, Bâkire ile cinsî olmasa bile edebî ilişkiye girip ona sahip olsa, edebî zinâ suçu işlediği için, başarı konusunda abazan olanlarca derhal recmedilirdi. Zaten bu onlar için, maymun tokatlamak yahut topuk sefâsı yapmaktan bile daha zevkli bir şeydi. Ne var ki, bu hususta haksızlık etmemek gerekirdi! Çünkü bir romanın iki tür okuyucusu olurdu: Zeus gibi olanlar ve Yahova'ya benzeyenler. Evet, gerçekten de, 'ilâh romancılar' gibi 'ilâh okuyucular' da olurdu. Kadîm Yunanlar'ın ilâhları antropomorfik idi, yani kendilerine benzer, yiyip içip sefâ sürer, zinâ yapar ve bazen de acı çekerdi. Fakat insanları kendi sûretinden yaratan Yahova'ya göre, insanlar teomorfik idi. İlâhlar insana benzeyince iş kolaydı, insanlar "bu da bizden" deyip hayatlarına devam ederlerdi; ama insan ilâha benzedi mi, yükleneceği mesuliyet ziyâde olurdu. Zaten insanın eti ne budu ne idi; kaldı ki bir ilâha benzesin! Ama bazıları bundan memnun gibiydiler. İşte Zeus'a benzeyen okuyucu roman okuduğu sırada eğlenip güler, bazen ağlar, kısaca hayattan zevk alırken, Yahova'ya benzeyen okuyucu böyle yapmazdı! Onun için kitapçı dükkânına gideceği gün, âdeta Mahşer Günü idi, tövbe estağfurullah! Bu okuyucu Yahova'nın bizzât kendisi olarak kitapçıya gittiğinde, onun teomorfik yahut egomorfik kulları olması gereken romancılar, önünde el pençe divan durmuş vaziyette bekler olurlardı. İşte, bu Yahova benzeri mutaassıp okuyucu da onların amel defterleri olan romanlarını bir inceler ve ardından yine onlara, beğenirse sağ ve beğenmezse sol yanlarından geri verirdi. İşin kısası, "Ben, Ben'im!" diyen Yahova gibi bu soyut silik okuyucu da "Benim!" der, ancak Tanrısallık şöyle dursun, 'kendisi olmaktan başka' pek bir özelliği de bulunmazdı. Bu nedenle kendi kulları addettiği romancıları, bizzât kendi muhteşem sûretine ne kadar benziyorsa işte o kadar sever ve takdir eder, benzemeyenlere ise nefret kusardı. Buna hakkı ve kudreti vardı; çünkü bütün kâinat aslında bu tür okuyucunun, yani 'deuculus'un çevresinde dönerdi.

İşte Muhtar Lüpen için de, en başta kendi camiasında durum böyle olacak, ve hırsız meslektaşları onu çekemeyeceklerdi. Hattâ ve hattâ, matbaayı kullanmaları yasak olduğu için, belediyeden yürüttükleri bir teksir makinasıyla, **APARTI** isimli bir edebiyat mecmûası çıkarıp bunu iki sayı sürdürmeyi muvaffak olarak, adamın canına okumaya bile çalışacaklardı. Ne var ki, bu mecmûanın müellifleri de, fikirlerini başka yerlerden yürüteceklerdi elbet. Bu arada Muhtar Lüpen, yakınları tarafından yine, "aramızda hiç kimse en iyi olmasın, olacaksa gitsin başka yerde olsun" gibi aşırılmış feylesof sözleri ve "hiç kimse doğduğu köyde peygamber olmadı" gibi atasözleriyle avutulacaktı.

Fakat şehrin edebiyat camiasında bir ara, çalıntı yapmakla ithâm edilir gibi olmuştu! Ne terbiyesizlik! Ona bakılırsa Cezmi Coz'un 'Ulizez' adlı o meşhur romanı Homer'den çalıntıydı! 'Hamlet' ise Sakso Gramatikus'un Hamleth'i değil miydi? Ya Göte'nin ve Marlof'un 'Faust'ları? Öyle ya, bestekâr List çingenelerden, Bela Vartok ise avâmdan nağme apartıp eserler bestelemişlerdi. Neûzübillâh, Hazreti İsa'nın resimlerini yapan Rönesans ressamları da herhalde birbirlerini kopya etmişlerdi. Belki güzel bir eser ancak, bir emsaline benzetilip bu sûretle tasarruf edilerek sığ bir zihne sığdırılabiliyordu. Galiba söylendiği gibi, güzel şeylerin birbirine benzediği, ama çirkinliğin muhtelif olduğu doğruydu. Bu yüzden kendisini çalıntıyla ithâm eden müellifi mahkemeye verdi ve davayı kazandı. Diğer romanları da ardı ardına yayımlanmaya başlandığında, ikinci kitabı bir ecnebî lisana tercüme edilmişti bile. Üçüncü kitabı ise film olacaktı. İş bununla da kalmayacak, tayyâreyle çıktığı Evropa seyahatinde, bir fırsatını bulup Nobel Mükâfatı'nı da kasadan çalacaktı.

Onun romanlarıyla birlikte bir Rönesans, bir Tekrartevellüt başlamıştı. Hem medenî şahsiyetler hem de yeraltı elitleri âdeta yeniden doğmuş gibiydiler. Kasımpaşa'da bir Aufklarung devri almış başını gidiyordu. Şahıslar uyanıyor, ama operaya gidip felsefî eserler okuyarak kendilerine 'aydın' demek yerine 'uyanık' tâbirini tercih ediyorlardı. Zaten Sanskrit lisanında 'buddha,' 'uyanık' anlamına gelmiyor muydu? Yeraltı camiasına mensup bazı kişiler, daha şimdiden Kâğıthane'ye gidip bir yandan akan ırmağı huzurla seyrederek, diğer yandan da hasımlarının ağızlarını burunlarını nasıl dağıtacakları üzerinde derin tefekkürlere dalıyorlardı. Gel gör ki, bu Rönesans fitneler yüzünden fazla uzun sürmeyecekti. Çünkü iş mitolojiye, azgınlığa ve putperestliğe gelip dayanmıştı: Tablosunda İlâhe Afrodit'in doğuşunu konu alan üstât Boticelli'ye özenen bir tabelacı, Afrodit'in Arap âlemindeki karşılığı olan Uzzâ adlı putu bir kebapçının tabelasına çizip boyayınca kıyâmet kopmuştu. Yine içlerinden biri, Zeus'tan olma Kastor ve Polluks adlı ikizler hakkında opera yazan Ramo'yu örnek alan bir halk âşığı, muhtemelen İlâhe Athena'nın karşılığı olan Lât adlı put hakkında mâni koştuğunda, az kalsın linç edilecekti. Aynı şekilde, Agamemnon'un kızı İfigenya'yı mevzû alan tragedyanın müellifi Rasin'den ilhâm alan bir çadır tiyatrosu kumpanyası, Nemesis'in muhtemel mukabili olan o putun, yani Menât'ın başrolde olduğu bir piyesle perde açtıklarında, sahneye taşlar yağdırılmıştı. Bunun nedeni seyircilerin herhalde, "Benim gibi muhteşem birinin fikirleriyle nasıl dalga geçersin!" düstûruyla ifade edilebilecek narsisizm olmalıydı. İncinme ve öfkeye bakılırsa, galiba memleketin gayrı resmî mezhebi, Nemrud'a mahsûs bir Narsisizm idi. İşte bu yüzden o devirde, 'Kasımpaşa Rönesansı' fazla uzun sürmedi. Zaten 'âhiret' ile mukayese edildiğinde 'medeniyet' dediğin nedir ki? Fitnenin ve bozgunculuğun ta kendisi!

Son romanı 'Boyunlar Bükülünce' piyasaya çıktığında Muhtar Lüpen, yaşına başına bakmadan, İstiklâl Caddesi'nde bir garsoniyer kiraladı ve burayı işin erbâbı bir mimara döşetti. Akşamları hakikî bir muharrir gibi pencere önündeki antika yazı masası başına oturuyor ve bir yandan beş yıldızlı konyağını yudumlarken, bir yandan da caddeden gelip geçenleri, özellikle hanımları seyrediyordu. Çünkü 'Boyunlar Bükülünce,' bilhassa hanımlarca rağbet gören bir şâheserdi. Gerçi Muhtar epey yaşlıydı, üstelik çopur suratına bakılırsa, onun yakışıklı olduğu falan da söylenemezdi. Ama romanındaki sunî sentetik hanım karakterler o kadar iyi analiz edilip kadın ruhu hakkında o kadar muhteşem bir tez ileri sürülmüştü ki, bunun antitezi olsa olsa, on binlerce sene evvel, yakaladığı kadını saçlarından zorla mağarasına sürükleyen hisli ve merhametli bir erkeğin ince ruhu olabilirdi. Nitekim vardı böyle bir erkek elbet. Bu da Muhtar Lüpen'in ta kendisiydi. Ama o, bunu bilmiyordu. Çünkü okuma yazması olmadığından, kendi kitabını okumuş değildi. Nesi eksikti ki? Zengin desen, zengindi. Meşhur desen, meşhurdu. Görmüş geçirmiş olduğundan, belki de kazık yiye yiye ve ata ata, ahlâklı da olmuş sayılırdı. Merhametli ve hakkaniyetli olduğuna, ondan korkan en az bin kişi kefil olurdu. Gel gör ki, hanımların onu çekici bulmasının asıl nedeni, hem kudretli ve hem de hisli olmasıydı. Kadınlarda Muhtar Lüpen'i cezbeden özellik ise, onlardan bazılarının, sadece ve sadece güzel olmalarıydı. İşte bu da, mükemmellik demekti. Bir kadını uzun uzadıya anlatmak malûmun ilânı olur. Çünkü kadının, mükemmel olmaktan başka ne özelliği olabilir ki?

Bununla birlikte, hastaneden taburcu olan Efgan Bakara, saçlarından kavradığı bir hanımı zorla mağarasına sürükleyecek türden bir erkek sayılmazdı. Hastanede bîtâp vaziyette yatarken Muallâ'nın onu on dakikacık olsun ziyâret etmesi yok mu? İşte bu hâdise enayinin aklını başından almıştı. Acaba kızın kendisinde gönlü var mıydı? Yoksa niye ziyârete gelsin ve üstelik bir de gülümsesindi? Ayrıca onu yanağından öpmemiş miydi? Bu tür sualler Efgan Bakara'nın kafasında arılar gibi vızıldayıp uçuşuyor ve enayiyi serseme çeviriyordu. Bu da elbette aşk sersemliğiydi. Kendi kendine gelin güvey olan enayi üstelik, işin içinden çıkamadığından Galata'da Yorgo'nun Yeri'ne gitmeyi huy edinmişti. Meyhâneci Yorgo, âşıkları dinlemeye alışıktı ama, bu kadarı da fazlaydı doğrusu! Tezgâhın başında Efgan Bakara meyhâneciye, şu on dakikalık ziyâreti esnasında ciğerpâresi Muallâ'nın, dudağı kenarında peydâ olan bir kıvrımın ne anlama geldiğini; ona bakarken mantosunun üst düğmesini iliklemesinin aşkına bir karşılık işareti olup olmadığını; eteğini ikide bir çekiştirmesinin ise, bir erkek olarak kendisinin namusundan şüphe belirtisi mi demek olduğunu soruyordu. İş bununla da kalmıyor, Efgan Bakara aynı hâdiseleri tekrar tekrar anlatıyordu. Anlaşılan, meyhânecinin, onu sadece dinlemesiyle yetinmeyip bir de, onun hissettiklerinin aynısını hissederek, "Ah! Ah! Vah! Vah!" demesini bekliyordu. Meyhânecinin illâllah etmesine ramak kalmıştı. İşin kötüsü, enayi her gece geliyor ve aşkını mâşûkunu anlata anlata adamcağızı bıkıp usandırıyordu. Meyhâneci Yorgo epey sabırlıydı, ama inan olsun, o güne kadar böyle sulu zırtlak âşık görmemişti! Efgan Bakara'nın içtiği rakının on misli, yaş olup gözlerinden akıyordu. Meyhâneci, bu kadar sulu gözlü birinin hanımları fazla cezbetmeyeceğini biliyordu. Enayi, kendisinin nerede bitip dış âlemin nerede başladığını bilmediğinden, acı çeken ya da sevinen birini gördüğü vakit en az onun kadar acı veya sevinç duyuyordu. Demir zırhları içinde hantal adımlarla yürüyenler ona, "Patetik işte!" deyip geçebilirlerdi. Ama bu tür insanlar, Puccini dinlerken ağlayamayan kişiler olsa gerekti. Bir hadımı bir kadın nasıl etkileyemezse, Madam Butterfly da bu tür şahısları etkilemezdi. Ancak, hisli ve içli olmanın insanı zayıf düşürdüğü de doğruydu. Kısacası bu iş hiç de akıl kârı değildi! Memleketten değil bir Rahmaninof, ancak bin kişinin taşıyabileceği yoğun duygu yükünü tek başına kaldırıp bunu zirvelere götüren bu bestekârın bir eserini bile hakkıyla icrâ edebilecek bir virtüözün pek çıkmaması da belki bu sebeptendi. Hakikaten de Efgan Bakara'nın şansı var denemezdi. Çünkü o, Herkül kadar kuvvetli ve künt olmaktansa, Çaykovski kadar cılız, patetik ve duygusal olmayı tercih edenlerdendi. Evet, şansı yoktu, ama o böyle düşünmüyordu. Çünkü bir gece Yorgo'ya, kendisine İsviçre'den postalanan bir vesikayı göstermişti. Bir rektör tarafından imzalanan bu kâğıtta onun, Zürih Üniversitesi'ne burslu olarak kabul edildiği yazılıydı. İşte bu vesika, Efgan Bakara'nın aşkına kavuşmak için sahip olduğu yegâne kozdu. Enayi utanmadan, Muallâ'ya kendisiyle izdivâç yapıp İsviçre'ye gelmesini teklif edecekti. Ama kızın müteahhit babası gayet zâlimdi! O yüzden bu iş de pek öyle, olacak gibi değildi. Efgan Bakara bunları söyledikten sonra tezgâha kapanıp ağlamaya başlamıştı. Onun sızlanmalarına zaten bir hafta zor dayanan meyhâneci Yorgo, artık canına tak ettiğinden midir, nihayet ona, "Madem öyle, sen de kızı kaçır!" deyiverdi. Bu lâfı işitince enayi, tezgâh başında kalakalmış, gözlerinden fışkıran yaşların rutubeti nedeniyle buğulanmış şişe dibi gibi gözlüklerinin ardından meyhâneciye bakakalmıştı. Derken alnı kırışmış, belli ki derin düşüncelere dalmıştı. İşte bu hâdise daha birkaç gün evvel cereyan etmişti. Hayırlara vesile olsun! Âmin!

"Hüüüüüüüüüüüüüüüüp! Jjjjjjjjjjjjjjjt! Nah-ha!"

Efgan Bakara'nın meyhâneden ayağını kesmesinden bir iki gün sonra Yorgo, kimsecikler görmesin diye elini siper ederek İdris Âmil Hazretleri'nin kulağına, bu enayinin niyetini fısıldamaktaydı. Anlatılanları âzamî dikkatle dinleyip adamakıllı kulak verdiğinden olsa gerek, Efendimiz'in alt çenesi alabildiğine sarkmış, gel gör ki dudakları alayla kıvrılmıştı. Meyhânecinin tamamladığı beher cümlede, sanki tasdik edermiş gibi kafasını sallıyor, dudaklarındaki alaycı kıvrım daha bir artıyordu. Yorgo'nun lakırdıları tükendiğinde meseleyi daha kapsamlı tahlil edip hemen oracıkta bir plan kuran Efendimiz, yine bir sevinç nidâsı koyuvermişti:

"Hüüüüüüüüüüüüüüüüp! Jjjjjjjjjjjjjjjt! Nah-ha!"

Ardından kıs kıs, daha sonra da karnını kasıklarını tutup kıkır kıkır gülmeye başlamıştı. Öyle ki, attığı kahkahalar neticesinde gözlerinden yaş fışkırıyordu. O kadar keyifliydi ki, meyhânede demlenenlerden birkaç kişi onun dünya işlerine boş verip keyfine bakan hakikî bir rint olduğuna kanaat getirmiş, hattâ içlerinden biri yerinden kalkıp onun sırtını sıvazlamıştı. Meyhâneden çıkan Efendimiz, kapıda kendisini bekleyen taksiye binip doğruca Aksaray'a, müteahhidin evine yollandı. O gece hava, ziyâdesiyle soğuktu. Sokağın başında inip açık bir bakkaldan, zarf, pul ve umumiyetle talebelere satılan bir de imtihan kâğıdı aldı. Ardından mahalle kıraathânesine girip bir masada, kâğıda tükenmez kalemle şunları yazdı:

Efganım,
Sana deliler gibi âşığım, başka türlü âşık olmam mümkün değil. Çünkü seni görünce aşktan delirdim. Zâlim babama artık tahammül edemiyorum. Beni mübârek cuma günü, gece yarısı kaçır. Bohçamı hazırlayıp pencerede seni bekleyeceğim. Gelirken bir de merdiven getir.

Sevdiceğin,
Muallâ

Bu satırları yazdıktan sonra Efendimiz, kâğıdı zarfa koydu ve zamklı kısmı diliyle yalayıp kapattı. Derken alayla kıvrılmış dudakları aralandı ve bu aralıktan fırlayan diliyle arkasını yaladığı posta pulunu zarfa yapıştırdı. Zarfa da Efgan Bakara'nın adresini yazdı. Bu iş bitince çıkıp az önce alışveriş yaptığı bakkalın duvarına asılı posta kutusuna mektubu atıverdi. Bir yandan da kıkır kıkır gülüyordu. Gelgelelim neşesini zapt etmek zorundaydı. Çünkü müteahhidin evine yaklaşmaya başlamıştı. Bunun için yanaklarını ısırdı. Bu metot az buçuk fayda vermişti. Müteahhidin evine vardığında, binanın çevresinde bir dolanmaya kalktı. Ne olacağını elbet iyi biliyordu. Nitekim çok geçmeden, karanlık sokakta o iki gölgeyle karşılaşıverdi. Daha doğrusu, sıska olanı sarık üzerine fötr şapka takmış ve ızbandut misâli olan diğeri de namaz takkeli iki gölge, zaten nicedir bu şüpheli şahsı takip ettiklerinden, kestirme yoldan Efendimiz'in önünü kesivermişlerdi. Anlaşılan o ki, bu efendiler aynı zamanda, müteahhit beyin namus bekçileriydiler.

İri olanı Efendimiz'in gırtlağına yapışır gibi olduğunda, İdris Âmil Hazretleri hemen, müstakbel kayınpederinin namusunun tehlikede olduğunu, aldığı istihbarata göre kızlarından birinin mübârek cuma günü bir ırz düşmanınca kaçırılacağını söylemek zorunda kaldı. Adamların gözleri fal taşı gibi açılmıştı ve âdeta gazap ateşiyle alev alev yanıyordu. Hâl böyle olunca, sıska olanı, kuşağından kör testereyi çıkarıp iri cüsseliye uzatarak şu tâlimatı verdi:

"Vay ırz düşmanı! Geleceği varsa göreceği de var! Al şu testereyi, geceden suya yatır. Gündüz de güneşte beklet. Adamakıllı paslansın, kesilip gittikten sonra da olsa herifin başına akıl gelsin!"

Bir iki gün sonra Efgan Bakara, apartmanın posta kutusunda kendisine yazılmış bir mektup buldu. O güne kadar ona hiç mektup gelmemişti. Bu sebeple zarfı hemen açtıktan sonra kâğıdı okur okumaz dondu kaldı ve oracığa çöküverdi. Enayi, feleğini şaşırmıştı! Neden sonra gözlerinde, kıpır kıpır ışıltılar oynaşmaya başladı. Bir süre sonra gözlerinin içi gülüyordu. Ardından, çöktüğü yerden kalkıp zıp zıp zıplamaya başlamıştı. Enayi, yere göğe sığamaz olmuştu. İşte, o anda aslan kesildi! Apartman kapıcısından izin bile almadan, ardiyedeki o koskoca merdivenin başına gitti. On beş metre yüksekliğinde ve basamaklarının her biri ikişer bilek kalınlığındaki merdiven enikonu ağırdı. Ama kalbi aşktan o kadar kuvvetli atıyordu ki, damarlarından o cılız adalelerine kan değil âdeta azim pompalıyordu. Acele etmeliydi, çünkü mübârek cuma günüydü. Çatı katındaki daireye çıkıp zaten hazır olan bavulunu aldı ve anneciğiyle seneler geçirdiği bu mekâna son bir kez baktı. Ardından aşağı indi ve merdiveni omuzlayıp cadde boyunca Tünel'e yürüdü. Aşağı inip Karaköy'e vardığında nefes nefeseydi. Köprü'yü geçip Sirkeci Garı'na eriştiğinde, Diyârbekirli pavyon fedaîlerinin bağışladığı paranın bir kısmıyla, Zürih'e iki kişilik tren bileti satın aldı. Derken, sol elinde bavulu, sağ omuzunda ise o koskoca merdiven olduğu hâlde yürümeye başladı. Karanlık çoktan çökmüştü ve yağmur yağacak gibiydi. İşin kötüsü, attığı her bir adımda merdiven ağırlaşıyor ve enayi ikide bir durup bir nefes almak zorunda kalıyordu. Gel gör ki, gece olmadan Muallâ'nın evine yetişmek zorundaydı. Bedenini ve azmini o kadar zorladı ki, Çemberlitaş'ta bir ara yere yığılıverdi. Ancak bir hayır sahibi onu yerden kaldırmış ve merdiveni taşımasına biraz yardım etmişti. Hattâ bir başka hayırsever, ona bir bardak su bile verdi. Enayinin dizlerinde dermân kalmamıştı ve daha epey yol var gibiydi. İşte, meselenin aslını bilenler, Efgan Bakara'nın İstiklâl Caddesi'nden tâ Muallâ'nın evine kadar katettiği yolun adının, aslında 'Acı Yolu' olduğunu bilirler.

Bu enayi zampara, Muallâ'nın evinin bulunduğu sokağa girdiği vakit korkudan tüyleri diken dikendi. Çünkü ortalık güyâ ıssızdı ama bu işte bir bit yeniği var gibiydi. Efgan Bakara, bir ırz düşmanı olduğuna göre, hayvanî hisleri onu yanıltıyor olamazdı. Dahası, hayatında ilk kez kız kaçıracaktı. İşte o anda dudağı uçuklayıverdi! Eli ayağı titrese de kızın evinin önüne vardı ve bavulunu yere koydu. Ardından, o dar sokakta avuçlarına bir tükürüp, doğrulttuğu merdiveni Muallâ'nın penceresine dayadı. Merdivenin dibi sokağın tam ortasına denk gelmişti. Aksi gibi hemen karşıda bir sokak lambası vardı ve ampulü, muhtemelen temassızlık ve belediye ihmali neticesi her ne kadar arada bir cızır cızır yanıp yanıp sönse de, kız kaçıracak bir şehvetperest için tehlike arz ediyordu. Ne olursa olsun, bu hovarda Bismillâh deyip merdiven boyunca aşkının Everest'ine doğru tırmanmaya başladı. Gelgelelim, mesafeyi tam yarılamıştı ki, aşağıdan hırıltılı bir ses işitti:

"Bana bak uçkuru gevşek! Irz düşmanlarının âkıbeti ne olur, bilir misin!"

Bu şahıs, sarığının üzerine fötr şapka takmış o testereli adamdı. İri arkadaşı da hemen yanında, Efgan Bakara'nın tırmandığı merdiveni kalın kollarıyla kavramıştı bile. İşte bu namaz takkeli iri adam, kollarını dolayıp merdiveni pencereden çekti ve havaya dikti. Efgan Bakara o dimdik merdivenin tepesinde zor duruyordu. Derken cüsseli adam, "Bakalım hangi tarafa düşecek?" düşüncesiyle olsa gerek, merdiveni bıraktı. Ama merdiven, kısa bir kavis çizerek tam karşıdaki elektrik direğine tak diye çarpıp durdu. Lâkin bu, ölüm tehlikesinin sadece bir kısmıydı. Evet! Şimdi de, sarığı üzerine fötr şapka takmış o sıska adam, dişlerinin arasında kör ve paslı bir testere olduğu hâlde, Efgan Bakara'nın kafasını gövdeden ayırmak üzere, merdivenden ona doğru tırmanmaya başlamıştı! Bu canavar basamak basamak yaklaşırken Efgan Bakara bir çığlık attı, ama neden sonra kendini toparlayarak, merdivenin dayalı olduğu sokak lambasının elektrik telini kopardı ve ucunu, kendisini ayak bileğinden yakalamak üzere olan adamın fötr şapkasına bastırdı. İşte o anda, yağmurda ıslanan şapkadan adamın beynine cızır cızır cereyan gitti ve kafasından renk renk kıvılcımlar fışkırmaya, dumanlar tütmeye başladı! Çok geçmeden dengesini kaybetti ve ne tesadüf ki, aşağıda onu bekleyen ızbandut misâli yoldaşının tam da belinin üstüne düşüp bu adamcağızın kalçasını kırdı.

Efgan Bakara kolay pes edecek gibi görünmüyordu. Yağmur da artık sağanağa dönmüştü. İşin aksi yanı, herhalde gürültüden olsa gerek, bazı evlerin ışıkları yanmıştı. Elini çabuk tutmak zorunda olan ırz düşmanı, aşağı inip merdiveni yeniden Muallâ'nın penceresine dayadı. Kızın radyosu açık olmalıydı ki, içeriden 'Martern alles Arten' işitiliyordu. İşte bunu duyunca, delikanlı bir iç geçirmeden edememişti. Merdivenin tepesindeyken, üstüne başına bir çekidüzen verdikten sonra camı tıklattı. Derken, beklediği oldu: Evet! Perde çekilmiş ve sevdiceğinin o güzel yüzü pencerede görünmüştü. Ama kız, şaşkın ve hattâ kızgındı. Nitekim pencereyi açıp, "Ne var ne oluyor Efgan Bey! Bu ne terbiyesizlik!" diye bağırdı. Ama enayi kekemeydi ve iki lâfı bir araya getiremiyordu. Üstelik utançtan kıpkırmızı olmuştu. Ancak Muallâ, bu şehvetperestin elinde bir kâğıt tuttuğunu fark edince mektubu çekip aldı. Okuduktan sonra enayiye şöyle dedi:

"Size kötü bir oyun oynamışlar Efgan Bey. Ben bir başkasına, meşhur bir romancıya aitim. O yüzden lütfen buradan gidin!"

O yağmur altında Efgan Bakara, sokağın başına vardığında dönüp, Muallâ'nın evine son bir kez baktı. Yağmur iliklerine kadar işlemiş, hattâ dedesinin dedesinden kalma o delik deşik bavulundaki özenle katlanmış çamaşırları bile ıslanmıştı. Boş caddede Sultanahmet'e doğru yürürken arada bir baykuşların puhuları, bazen de gece bekçilerinin düdüklerinden kopup gelen cânhırâş sedalar işitiliyordu. Enayinin delik ayakkabılarına tıkadığı gazete kâğıdından yamalar, yağmur suyunun tesiriyle artık erimiş, hattâ sol tekinin tabanı âdeta kâğıt kadar incelmişti. Bu hâliyle yürüdü, yürüdü, yürüdü. Sultanahmet'ten aşağı inip Sirkeci Garı'na vardığında, Şark Ekspresi peronda bekliyor, ikide bir istim salıyordu. Üçüncü mevki biletiyle trene bindi ve kondüktörün düdüğünü beklemeye başladı. Nihayet adam düdüğü öttürdü ve az sonra tren ıhlaya puflaya pohlaya gardan çıkıp, Evropa'ya doğru hareket etti. Sarayburnu'nu dönüp Yedikule'yi geride bıraktığında, Efgan Bakara pencereden dışarı hiç bakmamıştı. Gün doğmak üzereydi.

Ertesi gün öğleye doğru uyanan İdris Âmil Hazretleri gözlerini açar açmaz, enayiye oynadığı oyun aklına gelmiş olacaktı ki, keyifle bir nidâ koyuverdi:

"Hüüüüüüüüüüüüüüüüp! Jjjjjjjjjjjjjjjt! Nah-ha!"

Her zaman olduğu gibi kıkır kıkır gülüyor ve bir yandan da, mâderinin sinide getirdiği kahvaltıyı zıkkımlanıyordu.

Çayından aldığı her bir yudumun ardında keyifle bir "Ohhhhh!" çekiyor, ardından da ekmeğini zeytinyağına bandırıp lüpletiyordu. İşin iyi yanı, kahvaltıda bisküvi de vardı! Bunlardan iki üç tanesini birden ağzına tıkıştırdıktan sonra çayından koca bir yudum alarak yumuşamalarını sağlıyor, derken yutağından midesine indiriyordu. Keyfi gıcırdı doğrusu! Mâderi bir de bal getirmişti. Bu kez demlikten su bardağına çay doldurup içine yarısına kadar bal döktü ve ağzına dikip içti. Bu iş bitince bir, "Ahhhhh!" demeyi ihmal etmemişti. İşin daha da kıyak yanı, gece boyu yağan yağmur kesilmiş, bir de güneş açmıştı. Ama hava yine de soğuktu. Bunun için paltosunu giymek zorunda kaldı. O hasır şapkasını başına geçirip aynaya bakarak afili bir şekilde yana yatırdıktan sonra da dışarı çıktı. Müstakbel kayınpederinin evinin oraya gidip çevreyi bir kolaçan edecekti. Bir türkü tutturarak yola düştü. Elleri ceplerinde olduğu hâlde sağa sola, vitrinlere gelen geçene baka baka tâ Aksaray'a kadar yürüdü. Akşamüstüne doğru müteahhidin evinin önündeydi. Civarda fevkalâde bir şey yok gibiydi. "Allah, Allah?" der gibi oraya buraya bir bakındı. Ama müteahhit onu camdan görmüştü! Neden sonra evin kapısı açıldı ve öfkeden kudurmuş kayınpederi, üzerinde atleti ve altında mavi çizgili pijaması olduğu hâlde sokağa fırlayıp, Efendimiz'in ensesine okkalı bir şaplak indirdi! Bir yandan da bağırıyordu:

"Behey gavat! Nişanlını kaçırdılar! Sen bundan haberdârmışsın! Yine de namusunu korumak için bir teşebbüste bulunmadın! Ne biçim erkeksin sen!"

Kayınpeder, Efendimiz'in ensesine ardı ardına şaplaklar indirirken, Muallâ da kapıda, elinde mendili ile gözyaşlarını siliyordu. Evet! İdris Âmil Hazretleri'nin nişanlısı, o iri kıçlı Dilârâ sabaha karşı evden sıvışıp Galata Rıhtımı'ndan rotası Amerika olan bir vapura binmiş, aşkıyla yanıp kül olduğu sinema artisi Klark Kebıl'a kavuşup kendini onun güçlü kollarına bırakmak için uzun bir seyahate çıkmıştı. Güzel Dilârâ'ya hakikaten de bu artisten bir mektup gelmişti. Her ne kadar artisin hayranlarına dağıtılmak üzere matbaada basılmış olsa da, bizzât Klark Kebıl tarafından dolmakalemle imzalanan, üstelik zarflandıktan sonra üzerine bir de atomizörle tıraş losyonu sıkılan mektubu, Muallâ bizzât görmüş, ama pek ciddîye almamıştı. İşte burada insan, "Aşk nelere kâdir!" dememek için kendini zor tutardı. Efendimiz o esnada ensesine ensesine epey sille yese de aslında seviniyordu: Dilârâ'dan kurtulmuştu ya! Böylece o güzeller güzeli Muallâ da ona kalmıştı! Fakat, bir elindeki mendille gözlerini silen Muallâ'nın diğer elindeki kitabı görür görmez kan beynine sıçradı. Kızın elindeki kitabın kapağı şöyleydi:

## BOYUNLAR BÜKÜLÜNCE
Edebî Roman
Müellifi:
### MUHTAR LÜPEN

Evde hâl böyleyken, Muallâ, o iki sıkışıkta ne yapıp edecek, aynı gün, Muhtar Lüpen nâm edebî dâhinin de imza günü olduğundan, komşunun fotografi san'atına müptelâ veledini de alıp doğruca Cağaloğlu'na gidecekti. Elbette! Kuyruğa girip sıra ona geldiğinde, bu büyük muharrirden, beraber bir hatıra fotoğrafı çektirmelerini rica edecek, Muallâ'nın dolgun dudaklarına, elâ gözlerine ve bir kadında sağlıklı bir erkeğin bakması gereken her bölgesine bir göz gezdiren Muhtar da onu kırmayacak, yerinden kalkıp derhal bu âhûnun yanına gidecekti. Elinde Kodak fotografi makinası ile velet vizörden bakarken, Muhtar'ın elini önce, hayran hayran boşluğa bakıp gülümseyen kızın omuzuna attığını, ardından aynı elin o incecik bele, derken kalçaya doğru indiğini görecek, ama yaşı müsait olmadığından fazla mânâ veremeyecekti. Avucunu kızın kalçasından beline yükselten Muhtar Lüpen, fotoğraf çekildiği esnada dudaklarını Muallâ'nın kulağına yaklaştırıp ona kalın ve erkeksi sesiyle ama alçak tonda esrarengiz bir şeyler fısıldayacak, adamın nefesini kulak memesinde hisseden kızcağız önce öfkelenir gibi olsa da, tabiat galip geldiğinden, sonradan gözleri parlayacaktı. Ya, cebine bir tramvay parası konulup fotoğrafçı çocuk eve yollandıktan sonra, Büyük Romancı'nın hemen sağındaki şeref sandalyesine oturarak imza faslının bitmesini bekleyen Muallâ'nın, o büyük ve görkemli boşluğa, yani Aşk'ın ta kendisine boş boş ve hayran hayran bakarken, bir yandan da saadetle tebessüm etmesine ne demeli?

İşte, bütün bunlar bir iki saat sonra cereyan edecekti. İdris Âmil Hazretleri'nin o gün akşamüstü, Muallâ'nın elinde, aslında kendi eseri olan o romanı gördüğünde beynine yıldırım düşmüştü âdeta. Gel gör ki, daha kötüsü de vardı: Kayınpederi, içeri gidip bir elinde senet ve diğerinde kör testere ile gelmiş, Efendimiz'e, aile namusunu temizlesin diye tutturuyordu. Çünkü kızı Dilârâ'yı evlâtlıktan reddetmişti. Ama iş bununla da kalmayacak, ailenin namusuna düşen leke, kan ile temizlenecekti. Müteahhit, kör testereyi Efendimiz'in eline tutuşturduktan sonra, artık nasıl becerecekse, hem kızı Dilârâ'nın ve hem de kaçtığı o, Klark Kebıl denilen ırz düşmanının kafalarını bununla kesmesini, yani Amerika'da bir namus cinâyeti işledikten sonra polise teslim olmasını emrediyordu! Yoksa elindeki senedi kırdıracak, ve böylece Efendimiz'in bütün malına haciz gelecek, dahası, borcunu ödeyemezse İdris Âmil Hazretleri senelerce hapis yatacaktı!

Bu uğursuz günün gecesi Efendimiz, bütün gece şehrin sokaklarını adımladı durdu. Çünkü evine gitse, nasıl olsa uyuyamayacaktı. Âcilen paraya ihtiyacı vardı. Eğer yazılı tutarı ödeyip senedi müteahhitten almayı başarabilirse, hem

onun gözüne girebilir ve hem de bu kez Muallâ'ya tâlip ola-
bilirdi. Evet! Doğrusu buydu. Çünkü artık onu hayata bağ-
layan yegâne varlık Muallâ'ydı. Öyle ki, sevdiceği için ge-
rekirse, şiir ve sinema sanatını da terk eder, düzgün mun-
tazam bir iş bulur, ona gül gibi bakar ve onunla koklaşırdı.
Muallâ artık, onun şiir yazmasına vesile olacak bir mâşûk
değil, düpedüz, gönlünde açıveren bir çiçekti. Elbette sevi-
yordu kızı! O ağladığında Muallâ da ağlayacak, güldüğün-
de o da gülecekti! Monte Karlo Radyosu'nu dinleyip birbir-
lerine aşk kelimeleri fısıldayacaklardı. Bunlar hayal olmak-
la kalmayabilir ve tahakkuk edebilirdi. Neden olmasındı?

Fakirliğin gözü kör olsun! Senet için para lâzımdı aksi gi-
bi! Eminönü'nde, Köprü'ye adım atmak üzereyken Efendi-
miz, bir ara duraksayıp elini çenesine götürdü. Gözleri dalıp
gitmişti. Ardından hasır şapkasını çıkarıp başını kaşıdı. Ge-
ce bitmiş, seher vakti başlamıştı. Karaköy'de bir kıraathâne-
de oturan İdris Âmil Hazretleri çay söyledi ve aldığı simidi
yemeye başladı. Bu onun kahvaltısı idi. O anda âdeta, göz-
leri parlar gibi oldu. Sanki parayı nereden bulacağını keşfet-
mişti! Asıl patronuna, yani Muhtar'a müracaat etmesi gere-
kiyordu. Adamın İstiklâl Caddesi'nde bir garsoniyeri oldu-
ğunu bilmekteydi. Yerini de çoktan öğrenmişti. Zaten, meş-
hur romancının nerede ikamet ettiğini bilmemek için cahil
cühelâ olmak gerekirdi. Yüksek Kaldırım'ı tırmanan Efendi-
miz Galatasaray'ı geçtikten sonra, nihayet Muhtar Lüpen'in
apartmanına ulaştı. Merdivenleri tırmanıp üzerinde kosko-
ca pirinç harflerle MUHTAR LÜPEN yazılı kapının önünde
durdu ve titreyen elleriyle zile bastı. Adamcağız uyuyor ol-
malıydı ki, kapıyı açması için zile kısa aralıklarla üç beş kere
daha basması gerekecekti. Nihayet açılan kapıda Muhtar gö-
ründü. Bir ropdöşambr giymişti ve sabahın o saatinde, elin-
de bir konyak kadehi vardı. Adamın ilk sözü, "Yine ne isti-
yorsun?" olmuştu.

Efendimiz, dili döndüğünce ona, âcilen külliyetli miktarda paraya ihtiyacı olduğunu anlattı. Ama Muhtar sırıtıyordu. "Öyle bedava olmaz bu iş. Daha önce söylediğim gibi, gönüllü olacaksın," dedi, "Meselâ, geçen hafta yapılan banka soygununu üstlen, git âmirliğe teslim ol, parayı derhal öderim".

Efendimiz dehşet içinde kalmıştı. Bu işin cezası, o da şartlı tahliye ile, en az iki yıl olurdu. Âdeta umutları tükenmiş gibiydi. Dizlerinin bağı gevşer gibi olduğundan kapının eşiğine çöktü ve ellerini şakaklarına götürüp kara kara düşünmeye başladı. Bu esnada Muhtar insafsızca, konyağını yudumlamaktaydı ve, "Her nimetin bir külfeti var," diyordu, "Sana arka çıktık, göz kulak olduk, terbiye verdik, sen de bunu yapacaksın. Olmazsa para mara da yok".

İnsafsız adam ile Efendimiz kapı önünde bunları konuştukları esnada, içeriden bir ses geldi, âdeta bahar rüzgârında hışırdayan servilerin sesi gibiydi:

"Aşkım! İçeri gelsene!"

İdris Âmil Hazretleri bu güzel sesi hemen tanımıştı. O anda hiddetten gözleri kan çanağına döndü ve âdeta canavarlaştı. Aşkın ve gazâbın kudretiyle Muhtar'ı itip içeri daldı ve yatak odasında, üzerinde sadece bir bornozla, aşkı Muallâ'yı görüverdi! Heyhââât! İşte o anda iki büklüm oldu. Bayıldı bayılacaktı sanki. Ama birden bire, dudakları hiddetle yukarı kıvrıldı ve belinden tabancasını âniden çekip Muhtar'a doğrulttu! Bir çığlık odayı inletiverdi!

Muallâ kendini Büyük Romancı'ya siper etmiş, tabancanın tam önünde duruyor ve bir yandan da öfkeyle bağırıyordu:

"O bir dâhi! Ben ona âidim! Vuracaksan önce beni vur!"

Muhtar Lüpen ise, kızın arkasında, gayet soğukkanlı bir tavırla kadehindeki beş yıldızlı konyağı yudumlamaktaydı.

Bedeninden bütün kanı kudreti çekilen Efendimiz'in kalbi, bir balon gibi sönüvermişti. Omuzları çöktü ve tabancayı tutan eli aşağıya doğru sallandı. Silâhı tâkatsiz parmakları zorlukla tutabiliyordu. Ağlayacak dermanı bile kalmamıştı. Yüreciği ise, sanki artık atmıyor gibiydi. Muhtar'ı öldürmek istemişti güyâ, ama kendi ölmüştü. Bir cesetten pek fazla farkı var denemezdi. Tekmil cesareti, şahsiyetine itimadı, afisi, cafcafı, hayalleri ve onu hayata bağlayan ne varsa avuçlarından akmış gitmiş, kısacası hüsrana uğramıştı. Kalan azıcık kuvvetiyle bir gayret tabancasını beline sokmayı başarabildi.

Öyle olmayı çok arzu ettiği gibi, şâir kadar hisli olsaydı, belki şiddetli ıstıraba tahammül edemez, o tabancayla kendini vururdu. Ne var ki, bu kadarını galîz bir kahramandan beklemek haksızlık olurdu. Çünkü Efendimiz'in ağırlığı, elbette ki brüttü.

İdris Âmil Hazretleri, merdivenden aşağı inerken Muhtar'dan aldığı paraları saymaya başlamıştı bile. Bu kadarı senedini ödemeye yeter de artardı. Ama nedendir bilinmez, gönlü az buçuk buruk sayılırdı. Keyfi pek yerinde değildi doğrusu. Sanki iştahı da azalmıştı ki, cebinde para olmasına rağmen hemen orada bir lokantaya girip karnını doyurmaya içi elvermedi. Onun yerine, kendisini hâlihazırda kapıda bekleyen taksiye bindi. Aksi gibi bagajdaki çocuk delikten elini uzatmış, yine cebini yokluyordu. Parayı kaptırmasa iyi olurdu. Ama veren el, alan elden üstün sayıldığından mıdır, belinden tabancasını çıkarıp çocuğun elceğizine sıkıştırıverdi. Velet tabancayı tutmuştu ama, galiba ne olduğunu pek anlayamamıştı ve orasını burasını kurcalıyor, üstelik bir de sağa sola çeviriyordu. Silâh, işte bu esnada patladı! Kurşun şoförün sırtına isabet etmiş, adam kendinden geçiverdiği için taksi, hemen sağ taraftaki bir elektrik direğine gümbür diye çarpmıştı. Ön cam tuz buz oldu. Ama kırılan burnundan kan sızan Efendimiz, arka camdan baktığında, bagajdan fırlayan o veled-i zinânın, son süratle kim bilir nereye doğru kaçtığını görmüştü. İşin kötüsü velet, tabancayı arka koltuğa, İdris Âmil Hazretleri'nin hemen yanına bırakmıştı. Efendimiz kapıyı bir iki tekmede açıp dışarı çıkmayı başarabildi. Ama çevrede biriken kalabalık silâh sesini duymuştu. Bir polis tâ uzaktan, düdüğünü öttüre öttüre ona doğru koşturmaya başlamıştı bile. Kırılan burnu ve çıkan omuzuna rağmen İdris Âmil Hazretleri kalabalığı yarıp önce birkaç adım attı. Derken, önce adımlarını sıklaştırıp sonra da koşmaya başladı. Caddedeki bütün polisler, parasını almak muradıyla zavallı bir taksi şoförünü yaralayan canavarı, düdüklerini durmaksızın öttürerek kovalıyorlardı. Fakat Galata'da, kalabalık bir sokakta onu kaybettiler. Polisin gitmesi gereken asıl yer, elbette Aksaray idi. Lâkin Efendimiz, polisin mesaisinin bittiği saat 5'ten sonra burada olacaktı. Burnundan akıp duran kan çoktan kurumuş, bir çeşmede suratını yıkayıp üstüne başına bir çekidüzen vermişti. Gelgelelim, o gün yaşadığı tüm acınaklı ve dokunaklı hâdiseler yine de hâlinden tavrından belli oluyordu. Dokunsalar ağlayacak gibiydi. Müteahhidin kapısını işte bu hâliyle çalmış, kapıyı açıp eline verilen bir tomar parayı saydıktan ve senet ile kafa kâğıdını teslim ettikten sonra da adam ona utanmadan bir de şöyle demişti:

"Âferin sana! Para vurulacaksa, işte böyle bir günde vurulur. Para için ancak fakir fukara senelerce çalışır! Kusurun kabahatin bol olsa da sana yine de damadım demek isterdim. Muallâ'yı düşünür müsün? Ne zamandan beri sevda çekiyor. Bu talihli de mutlaka sensindir. İstersen içeri gir de az bekle, dün gece teyze kızına gitti. Çok geçmeden gelir."

İdris Âmil Hazretleri'nin kafasında akıl, gözlerinde fer, dizlerinde mecâl ve gönlünde ateş kalmamıştı. Başı fena hâlde belâdaydı. Galiba en iyisi, kalan tâkatiyle mahallesi Kasımpaşa'ya ricat etmekti. Bu mahallenin kabadayıları ona kol kanat gererler, hakkını hukukunu korurlardı. Her şeyden evvel, Yarma İskender ile bir anlaşması vardı! Bu aklına gelince gülümsedi. Ardından, âdeta sürüne sürüne Kasımpaşa'ya yollandı. Babalar Kıraathânesi'ne vardığında saat gecenin onuydu! Hayırdır, etrafta bir hayhuydur, bir tantanadır sürüp gidiyordu. Bütün kabadayılar, hattâ en yaşlı, en görmüş geçirmiş ve kerrelerce hacamat edilip defalarca hastanede yatıp ölümlerden dönmüş olanlar bile dehşet içindeydi! Mahallede korku almış başını gitmekteydi. Yazıklar olsun ki, o koskoca Yarma İskender, kendisini Anadolu Külhânbegümü ilân eden Remziye tarafından sokak ortasında vurulmuştu! İşin daha da kötüsü, Rumeli Külhânbeyi vurulduğu ve belki de geberip gideceği için yeraltı camiasında anarşi baş gösterecek, bıçkın tâifesi kanun, nizâm, racon tanımayacaktı. Ama bu endişe, aslında beyhûde sayılırdı. Çünkü taht kavgaları daha şimdiden başlamış, beti benzi atan şaşkınların arasından, tek tük de olsa, muhtemelen boşalacak bu tek kişilik diktatör kadrosu için birbirlerine diş gıcırdatanlar göze epey batar olmuştu. Nitekim çok geçmeden, sırtlarındaki kartalkanat paltolarını fırlatıp atıveren iki külhânî birbirlerini itip kakar olmuş, bazılarının elleri ise, her ihtimale karşı, bellerine sıkıştırdıkları demirlere gitmişti. Muhtemelen ölecek olan bir yahut birkaç kişi kabristana, onların leşini serdiği için Rumeli Külhânbeyi olmaya hak kazanan şanslı namzet de sarayına, yani Sultanahmet Cezaevi'ne gidecekti.

Derhal tevkif edilen Remziye ise, şimdi Emniyet Âmirliği'nde müfettişlerce sorguya çekiliyordu. Belkemiğine kurşun isabet eden Yarma İskender'e gelince; o artık hastanedeydi. İşte, bu adamcağızın belinden aşağısı bundan böyle tutmayacak, bir dilenci olarak sokaklara düşecek; ne var ki, bir zamanlar putlara tapındığı dâima yâd edileceğinden duası makbûl sayılmayacağı için, dilenen diğer meslektaşlarının tersine, sefil süfelâ olacaktı.

Para almak için Muhtar'la yaptığı mukavele icâbı, İdris

Âmil Hazretleri'nin Emniyet Âmirliği'ne bir varıp, aslında yapmadığı banka soygununu üstlenmekten başka pek bir çaresi kalmamış gibiydi. Nitekim, kurbanlık koyun misâli tâ âmirliğe kadar sendeleye sendeleye zar zor yürümüştü. Kapıda nöbet bekleyen insan sarrafı polis, Efendimiz'in birtakım haltlar karıştırmış türden bir şahıs olduğunu anladığından, içeri paldır küldür girmesine pek ses etmemişti. Zaten o devirde kanundan kaçmak mümkün görülmediği ve aynı zamanda yakışık da almadığı için, suç işleyenler karakola kendiliğinden gelirler ve teslim olurlardı. Efendimiz kapıdan içeri girdiğinde, sorgu odasından eski göz ağrısı Remziye'nin cırtlak sesini işitti. Bir yandan da, tuşlarına basmak için sadece iki parmağını kullanan polisin yazı makinasından gelen çat çat sedaları duyuluyordu. Kadın utanmadan, polislere bağırıp çağırmakta, tehdit üzerine tehdit savurmaktaydı. Çok geçmeden sıra İdris Âmil Hazretleri'ne geldi ve sorguya alınan Efendimiz, tıpkı Muhtar'ın ona tembih ettiği gibi, yapmadığı soygunu bütün teferruatıyla anlattı ve ifadesine imzayı bastı. Efendimiz'in de âmirliğe düştüğünü artık nasıl olduysa öğrenen Remziye ise, kapının ardından ona, "Merak etme kocacığım! Seni Ulucanlar Cezaevi'ne aldıracağım! Bütün sâdık adamlarım da orada. Benim koynumda rahat edeceksin!" diye bağırmaktaydı. Efendimiz, tıkıldığı karanlık nezarethânede düşüne dursun, sabaha karşı fezleke, ertesi akşam da iddianâme hazırdı bile.

Mahkeme, İdris Âmil Hazretleri'ni, hırsızlık ve adam yaralamadan suçlu buldu. Hem pederi ve hem de mâderi oğulları için zırıl zırıl ağlıyorlardı. Oysa, başına gelen onca hâdiseden olsa gerek, Efendimiz kıkır kıkır gülmekteydi. Hâkim, söyleyecek bir şeyi olup olmadığını sorduğunda, mahkeme salonu şu nidâyla inlemişti:

"Hüüüüüüüüüüüüüüüüüp! Jjjjjjjjjjjjjjt! Nah-ha!"

İşte bu da, cezasının 6 ay artmasına yol açtı.

O gece kar yağmaya başladığında, elleri kelepçeli oldu-
ğu hâlde Efendimiz, iki candarma eşliğinde Haydarpaşa Ga-
rı'nda bekleyen trenin üçüncü mevki vagonunda yerini al-
mıştı. Tren tam vaktinde hareket etti. O ise düşünceli de-
ğildi. Çünkü düşünmesini icap ettiren bir husus yoktu. Dü-
şünmek şöyle dursun, tam tersi o, şu kâinatta, üzerinde dü-
şünülecek yegâne husus ve yegâne kişiydi. Elbette bu haki-
kati herkesin idrâk etmesini ummak, insanoğluna haksızlık
olurdu. Bununla birlikte İdris Âmil Hazretleri'ne lâyık oldu-
ğu önemi ve kıymeti az da olsa verebilecek kadar ilim sahibi
şahıslar da yok değildi. İşte bunlardan biri, reisicumhurun
davetlisi olarak trene binmiş bir antropologdu. Bu adamca-
ğızın, nedendir bilinmez, arka vagonda hava almak için dı-
şarı çıkarken gözleri Efendimiz'e kenetlenmişti. Adam geri-
sin geri döndü ve neden sonra elinde bir çanta ile gelip, can-
darmaların arasında bekleyen İdris Âmil Hazretleri'nin tam
karşısına oturdu. Çantasını açıp bir fotoğraf çıkarmış, bir bu
resme ve bir de Efendimiz'e bakıyordu. Ardından fotoğra-
fı İdris Âmil Hazretleri'ne gösterdi. Fotoğraftaki şahıs, Efen-
dimiz'in bizzât kendisiydi! Dili döndüğü kadarıyla anlattı-
ğına bakılırsa, antropolog o güne kadar 10.000 kişinin fo-
toğraflarını tek tek çekmiş, sonra da negatifleri üst üste ko-
yarak hepsini aynı anda, agrandizörde bir fotoğraf kâğıdına
basmıştı. Çünkü adamın muradı, cümle âlemin en ortalama-
sı olan "Mükemmel İnsan"ı bulmak idi. Bu insan da, Efendi-
miz'in aynısıydı. Antropolog bu insan türüne, "Homo Inno-
sens" adını vermişti. İşte bu insan türünün yeryüzünde bir
tek örneği vardı. Heyhât ki, işte şimdi bulduğu bu insan, ya-
ni İdris Âmil Hazretleri hâlen yaşamaktaydı! Yoksa antropo-
log, eğer satacak olsa, kafatası için Efendimiz'e çıkarıp o an-
da milyon verebilir ve Homo Innosens'i en güzide müzeler-
de meraklı ahaliye teşhir edebilirdi. Mahkeme her ne kadar
onu suçlu bulsa da, İdris Âmil Hazretleri aslında gayet mâ-

sumdu: Onun kaderi, Françe Kralı'nın kaderinin belki bin misli olmuş gibiydi. Tarihçilerin malûmu olduğu üzere, kral meclisi topladığı vakit, yemînî olan asîlzâdeler onun sağında, yesârî olan şehirliler ise solunda oturmuşlardı. İşte, nasıl ki bir kral ahalinin tam ortasındaysa, Efendimiz de, gelmiş geçmiş ve gelecek bütün insanoğullarının tam ortasındaki o muhteşem tahtında oturuyordu. O, çan eğrisinin tam ortasıydı. Ressamların erişmek istediği güzellik, feylesofların aradığı hakikat, her teoremin tek ispatı, her nazariyenin yegâne deliliydi. Duran bir saat cânhırâş bir feryâd ile günde iki defa onu yâd eder, ama insanoğullarından işiten çıkmazdı. Evet o, âdeta kâinatın merkeziydi. Pulsarlar ata ata onun adını tespih ediyor ve milyarlarca yıldızın parıldadığı galaksi onun çevresinde dönüp duruyordu. Efendimiz gece karanlığında pencereden gök kubbeye baktı ve kendi emsali olan Kutup Yıldızı'nı gördü. İşte o gök kubbede bâki kalan, belki de şu hoş sedâ olacaktı:

"Hüüüüüüüüüüüüüüüüüp! Jjjjjjjjjjjjjjjt! Nah-ha!"

*10 Aralık 2013*
*Karşıyaka*

# İHSAN
# OKTAY ANAR

BÜTÜN ESERLERİ

iletişim

İHSAN
OKTAY ANAR
YEDİNCİ GÜN

iletişim

İHSAN
OKTAY ANAR
SUSKUNLAR

iletişim

İHSAN
OKTAY ANAR
KİTAB-ÜL HİYEL

İHSAN
OKTAY ANAR
PUSLU KITALAR ATLASI